新 潮 文 庫

光圀

古着屋総兵衛 初傳

佐 伯 泰 英 著

新 潮 社 版

10201

目次

序　章……9
第一章　快風丸船出……20
第二章　光圀との別れ……95
第三章　駒吉初手柄……174

第四章　呼び出し……253
第五章　『千手』の舞……326
終　章……395
あとがき
参考資料
解説　木村行伸

光圀

古着屋総兵衛　初傳

序　章

元禄十三年（一七〇〇）十二月九日。

深夜、江戸では身を凍《い》てつかせるような筑波《つくば》おろしが荒れ狂い、夜の町に砂塵《さじん》を巻き上げていた。飼い犬か野良犬《のらいぬ》か、多数の犬が怯《おび》えたような吠《ほ》え声を繰り返した。

徳川幕府五代目の綱吉の治世下、貞享《じょうきょう》四年（一六八七）に発布された「生類《しょうるい》憐《あわれ》みの令」が未《いま》だ施行されており、野良犬でさえ人を畏《おそ》れることなどなかった。それが尋常らしからぬ筑波おろしに怯えた声を上げ、寝に就いていた住民も多くが床の中で目覚め、

（何事もなければよいが）

と考えた。

江戸ではこの「生類憐みの令」が出たあと、競い合うように早起きして、わが店前《みせさき》に生き物の死骸《しがい》などが放置されていないかどうかを確かめるのが習わしとなっていた。もし骸《むくろ》があれば急いで隣の家の前に引きずっていき、捨てた。それが触れから身を守るただ一つの方策だった。

江戸城から半里（約二キロ）離れ、艮《うしとら》の方角にあたる富沢町《とみざわちょう》の古着問屋にして富沢町惣代大黒屋《そうだいだいこくや》の潜《くぐ》り戸《ど》が叩《たた》かれた。商人の家はすでに住み込みの奉公人が寝静まっている刻限である。だが、直《す》ぐに店の中から、

「どなた様で」

と小声が応じた。

大黒屋では犬の死骸などが店の前や町内に打ち捨てられていた場合、即刻、死骸を回収して、重りの石とともに麻袋に入れて江戸湾の海底に沈めて始末していた。ために不寝番をおいていた。

「水戸新宿《あらじゅく》村よりの使者にござる」

外の声が応じ、しばらくお待ちをと願った声のあと、臆病窓《おくびょう》が開かれた。

使者の顔が確かめられ、潜り戸が開けられた。素早い反応は大黒屋が終夜の諸事への備えをおろそかにしていないことを示していた。

五体が凍えきった旅仕度の武士が古着問屋の店土間に入ると、

「火の傍にお出《い》で下さいまし」

と、この夜の不寝番方、手代の磯松《いそまつ》が土間の大火鉢を差して招き、埋火《うずみび》を火箸《ひばし》で掻《か》き出した。

その間に大番頭の笠蔵《かさぞう》が寝巻の上に綿入れを羽織りながら姿を見せた。

「矢口様、西山荘《せいざんそう》から夜旅にございますか」

笠蔵の問いに矢口為三郎《ためさぶろう》が無言で頷《うなず》いた。その全身に疲労と虚脱が滲《にじ》み出て、夜旅の寒さに縮こまった体がいつもより小さく見えた。

「安積澹泊《あさかたんぱく》様からの書状を持参した」

と応じたとき、奥向き女中のおきぬが姿を見せて、

「大番頭さん、お客人を奥へ」

「総兵衛《そうべえ》様は起きておられるな」

おきぬが頷くと、矢口は上がり框《がまち》に腰を下ろし、凍えた手で草鞋《わらじ》の紐《ひも》を解き

始めた。

半刻《はんとき》（一時間）後、水戸からの使者矢口為三郎が去り、大黒屋の奥へと大番頭の笠蔵、一番番頭の信之助、それにおきぬが呼ばれた。

大黒屋は入堀に面した富沢町の角地に二十五間（約四五メートル）四方六百二十五坪の敷地を擁し、漆喰造り総二階の店や蔵によって四周を口の字に囲まれ、中庭のほぼ真ん中に離れ屋があって代々の大黒屋総兵衛の住まいとなっていた。

中庭は庭石や樹木や泉水を巧妙に配し、侵入者が入りこんだとしてもいきなり離れ屋に辿《たど》りつけぬ造りであり、戦国時代の武家館《ぶけやかた》そのものであった。

大黒屋の幹部連の三人が呼ばれたのは離れ屋の居室ではなかった。

離れ屋の真下に隠されて造られた地下の大広間であった。そのことは使者の要件の内容を示していた。

大黒屋の表の顔の古着問屋の御用ではない。裏の貌《かお》である鳶沢《とびさわ》一族の六代目頭領《とうりょう》・鳶沢総兵衛勝頼《かつより》が一族の重鎮三人を呼んだのだ。

三人が隠し階段で下りると地下には冷気が支配していた。

切石と土壁造りゆえ地下まで筑波おろしは吹き込んではこなかった。だが、この地下の一角には石組の船隠しがあって、大黒屋の前を流れる入堀にかかる栄橋の下へと隠し水路が通じていた。ために地下に冷気が漂っていたのだ。

大黒屋の裏の貌を示す館造りの拝領地は外敵を防ぐためのいろいろな工夫がなされていたが、この切石積みの基礎の工事は江戸城の普請《ふしん》に合わせて行われたものだ。

その当時、この界隈《かいわい》の葭原《よしはら》を埋め立てるのは至難の技で、膨大な歳月と労力と費えがつぎ込まれた。また江戸幕府開闢《かいびゃく》という混乱期でなければできる普請ではなかった。

武家屋敷風の大広間は板の間で一段高い上段の間の壁には、二羽の鳶が飛び違う家紋の双鳶《ふたつとび》が描かれ、初代鳶沢総兵衛成元《なるもと》の座像、南無《なむ》八幡大菩薩《はちまんだいぼさつ》の掛け軸、南蛮拵《ごしら》えの具足が飾られ、四尺の馬上刀と脇差《わきざし》が刀掛にあった。また武道場としても使われる板の間の壁には槍《やり》、薙刀《なぎなた》、鎖鎌《くさりがま》、六尺棒、木刀など武術稽《けい》古《こ》の道具がかかっていた。

上段の間に総兵衛が手に書状を握って黙念と座していた。

三人が板の間に控え、主《あるじ》の言葉を待った。

総兵衛は物想《ものおも》いに耽《ふけ》っていた。笠蔵が遠慮がちに問うた。

「西山公が身罷《みまか》られましたか」

しばし間があって、

「この六日、波乱の生涯をお閉じ遊ばされた」

と漏らした総兵衛の言葉に譬《たと》えようもない寂寞《せきばく》と哀しみがあった。

西山公とは水戸宰相であった権中納言《ごんちゅうなごん》徳川光圀《みつくに》その人だ。

「安積様からは何と」

「光圀公は予《かね》てより、人死して三日殯《ひん》す、礼記《らいき》の教え守るべし、と仰《おお》せられておられ、そのお言葉どおりに本日納棺の儀が行われる由《よし》じゃ。そして埋葬の儀は十二日と記されてあった」

「総兵衛様、埋葬の儀にはなんとか間に合いましょう、参られますな」

「安積様はこの総兵衛に伝えたいことがあるそうな」

「ならば即刻お立ちになりませぬか」

笠蔵がさらに重ねて問うた。

「千住大橋まで船で参り、水戸道中は馬にて走る。なんとしても十二日の埋葬の儀には間に合せる」

「供はだれに」

「信之助、又三郎の二人とせよ」

一番番頭の信之助は槍の名手で、三段突きの信之助と鳶沢一族内で知られていた。また四番番頭の又三郎は風のごとく足が速く、変幻自在の身のこなしから風神の又三郎と呼ばれていた。ともに総兵衛の腹心の部下であった。

「はっ、すぐに手配を致します」

信之助がその場を立ち、総兵衛もおきぬの手助けで旅仕度に入った。

居室におきぬと総兵衛の二人だけになった。

「安積様が総兵衛様に伝えたきこととはなんでございましょう」

「あの一件の封印しかあるまい」

と短く言い合い、おきぬは頷いた。

総兵衛とおきぬは、元禄七年（一六九四）、江戸小石川の水戸藩邸にて光圀が藩の執政にして大老の藤井徳昭《のりあき》、通称紋太夫《もんだゆう》を刺殺した騒ぎに思いを巡らしていた。だが、六年前の出来事をどちらも口にすることはなかった。

四半刻（三十分）後、船隠しの隠し扉が音もなく開かれ、灯りを灯《とも》した三丁櫓《ろ》の早船が外水路に出た。鉤《かぎ》の手に曲るそこの先に石壁が立ちふさがっているのが灯りに浮かんだ。すでに鳶沢一族の者が二人控えていて石壁の一角の扉を開くと早船は入堀の栄橋の下に出た。そして、石壁が早船の背後で閉じられた。

大黒屋では船隠しへと通じる堀をたんに入堀と呼んでいた。

御堀に接した鎌倉河岸《かまくらがし》と本銀町《ほんしろがねちょう》の間に口を開いた堀は正しくは竜閑川《りゅうかんがわ》であった。御城にいちばん近い橋を竜閑橋と呼び、竜閑橋の下流に乞食《こじき》橋、中之橋、今川橋、東中之橋、地蔵橋、待合橋、九道橋、甚兵衛橋、幽霊橋と十の橋が町屋を結び、幽霊橋を潜ったところで、堀はほぼ直角に東南へと方角を転じた。そして、亀井《かめい》町の土橋、馬喰町の土橋、緑橋、汐見《しおみ》橋、千鳥橋と来て、大黒屋の船隠しにつながる栄橋となった。

またこの堀、町名ごとに呼び名が変わった。

上流部の御城近くの竜閑川の他に、神田堀、神田八丁堀、銀《しろがね》堀とそれぞれの呼び名を変えた。さらに、大川につながる浜町河岸界隈では浜町堀と称された。

旅姿の主従三人に、見送り人にして船頭方が三人、控え方が三人、都合九人を乗せた早船は、高砂橋、小川橋と潜り、続いて組合橋に向かった。

日付はすでに十日と変わっていた。

大川との合流部までの左岸は、浜町河岸と呼ばれ、残る橋は川口橋だけだ。木枯らしは、上野館林《こうずけたてばやし》藩秋元家の中屋敷の石垣と築地塀《ついじべい》に阻《はば》まれて、船にある人々にさほど寒さは感じさせなかった。

手あぶりが総兵衛の前だけにあった。

無言の船は櫓の音をわずかに軋《きし》ませて進んでいく。

突然、早船を木枯らしが、

ひゅひゅっ

と襲いきた。

吹きっ曝《さら》しの大川の分流に出たせいだ。すると控えの船頭方が三丁の櫓に助っ人に加わって一丁の櫓に各自二人ずつとなり、中洲《なかす》と陸奥《むつ》磐城平《いわきたいら》藩安藤家の上屋敷の間を吹きぬける木枯らしに逆らって、船足を早めた。

総兵衛が手あぶりに顔を寄せて、煙管《きせる》の刻みに火を点《つ》けた。炭火に火照《ほて》る顔をゆっくりとあげ、

ふうっ

と紫煙を吐いた。

一瞬だけ薩摩産の刻み煙草《たばこ》の香りがしたが木枯らしに直ぐに吹き散らされた。

総兵衛の五感が監視者の眼を捉《とら》えていた。

（矢口どのは水戸から尾行者を連れて来られたか）

予測はされたことだった。

矢口為三郎は水戸から江戸へ急ぎ旅をしてきたはずだ。危険を承知しているゆえに神経が過敏になり却《かえ》って、

「連れ」

を見落としていたのだろう。命を奪うより使いの先はどこか、その使いがその後、どのような行動をとるかに重きを置いたゆえに矢口為三郎は延命できた

のであろうか。

早船の主櫓は艫《とも》にあった。副櫓は艫近くの両の船べりにあり、櫓は棕櫚《しゅろ》で編まれた縄《なわ》で船べりに固定されていた。

総兵衛の耳に棕櫚縄がぎぃぎぃと軋む音が響いて、本流に出た早船は正面から吹きつける木枯らしに曝された。

だが、鳶沢一族の六人が三丁の櫓を操る船は烈風に逆らい、ひたすら千住大橋に向かって突き進んでいった。

総兵衛の脳裏に水戸光圀との出会いが走馬灯のように過《よぎ》った。

遠い昔のようでもあり、つい昨日のようでもあった。

そうたびたび会ったわけではない。だが、齢《とし》の差と身分の違いを越えた付き合いは信頼に満ちたものであり、濃密な絆《きずな》に結ばれた交流であった。

第一章　快風丸船出

一

貞享《じょうきょう》五年（一六八八）二月三日。

夜明け前、御三家水戸藩の外港那珂湊《なかみなと》に一艘《そう》の帆船が大海原から打ち寄せる荒波に抗しながら入っていこうとしていた。

この那珂湊は那珂川河口の左岸に位置し、荒波に川の流れがぶつかり合い、複雑な潮流を作っていた。ために操船は難しい。

だが、主船頭以下、慣れた船扱いで江戸と奥州《おうしゅう》を結ぶ海上交通の中継地に舳《へ》先《さき》を入れた。

千石船を一回り大きくしたような船は、一見和船のようにみえて外洋を走るための工夫が随所になされていた。二本帆柱の船体はがっしりと精悍《せいかん》で見かけ以上に荷が積載できた。二本帆柱に縦帆がそれぞれ二枚ずつあり、一枚の縦帆よりも風が拾い易《やす》くなっていた。さらに舳先付近に三角の補助帆が三枚突き出ていた。また眼に見えないところでは、和船にはない竜骨が舳先から艫《とも》に通り、その左右から肋材《ろくざい》が何本も備えられ、船体の強度を高めていた。さらに舵《かじ》も船体に固定され、和船のように港に入るたびに上げ下げする要もなかった。これらのことはこの帆船が沿岸航法だけではなくて、外海を航海できるように造船されていることを示していた。艫には、

「江戸富沢町　鳶沢丸《とびさわまる》」

と船名が記されていた。

江戸富沢町は古着商が集う町として知られ、その中でも大黒屋は数百軒の古着商を束ねる惣代《そうだい》として、古着を江戸で商うばかりか、時に鳶沢丸のような持ち船に古着を積んで、陸奥《むつ》一円に船商いに出ていた。

そのため那珂湊も馴染《なじ》みの港であった。

艫の高櫓《たかやぐら》から主船頭の縮帆の合図が出て、乗り組んだ水夫《かこ》らが機敏に動き、たちまち縦帆が桁《けた》に巻き上げられ船足が落ちて、係留するために港の一角に近付いていった。

帆が下ろされたために高櫓から舳先が見えた。すると舳先には親子と見える二人が屹立《きつりつ》し、那珂湊に泊まっている一艘の大船を見ていた。それは鳶沢丸よりもはるかに大きな船であった。

全長二十七尋《ひろ》（約四〇・九メートル）、船幅九尋（約一三・六メートル）、帆柱の高さ十八尋（約二七・二メートル）、航《こう》の長さは二十一・六尋（約三二・七メートル）で、左右舷側《げんそく》から二十挺《ちょう》ずつ櫂《かい》が立てられていた、無風な折は櫂を使い、走行することができた。いわゆる伊勢船型と呼ばれ、寛永十二年（一六三五）に幕府が建造した安宅丸《あたけまる》と同じ構造であった。

また帆木綿五百反と豪語されていたが、

「三十五反の帆を捲《ま》きあげて、いくよ仙台石巻
三十五反の帆を捲きあげて、えぞを離れりゃ佐渡島」

と俗謡に歌われるように千石船で三十五反前後だ。いくらなんでも五百反は大きい。だが、本帆三十二反、弥帆《やほ》八反を含めて木綿五百五、六十反を要したという意味だった。

船体の上にもう一段、長方形の屋形が組み上げられていた。

水戸藩の葵紋染《あおいもんぞめ》の紫天幕、纏《まとい》小旗、幕には○の中に水の一字の船印、大ぼんぼりの照明具、黒鳥毛九尺槍《やり》二本が誇らしげに立てられていた。

二階船室上に伝馬船《てんません》が二隻《せき》、大は長さ九間（約一六メートル）、櫓《ろ》八挺、小は長さ六間、櫓は六挺が搭載されていた。

「勝、さすがに大きいな」

鳶沢丸に立つ大黒屋五代目総兵衛が傍らの倅《せがれ》の勝頼《かつより》に話しかけた。

十五歳の倅はすでに五尺八寸（約一七六センチ）を超えていたが、少年期特有のすらりとした痩身《そうしん》であった。だが、しなやかな筋肉がまだ大人になりきれない体を覆《おお》っており、その挙動は鍛え上げられていることを示していた。この一年余、駿府《すんぷ》の鳶沢村に滞在し、一族の流儀祖伝夢想流を修行してきた勝頼であった。

「親父様《おやじ》、大きいばかりでものの役には立たぬ船と見ました」

伜が大胆にも言い切った。

「それにいかにも不細工にございます。よう切れる刀は一分の無駄ものうて美しゅうございます」

ふっふっふふ
と含み笑いをした親父は、

「さようなことは腹に納めておくものじゃ」

「承知しております」

父子の会話は商人のものとは思えなかった。

幕府開闢《かいびゃく》から八十余年、幕府は五十年以上も前から五百石積以上の大船の建造を諸大名に禁じてきた。にも拘《かかわ》らず水戸藩の外港に巨船が係留されていた。水戸光圀《みつくに》の蝦夷地《えぞち》探検という夢を託した大船、五千六百石の堂々たる快風丸である。

光圀は鎖国策をとり続ける幕府にあって、海の向こうの国々に想《おも》いを抱いた大名であった。すでに寛文十一年(一六七一)から貞享前半期にかけて、江戸、大坂、奥州への交易と物資運搬のためという名目で大船を建造していた。

当然、こたびも蝦夷地探検という国益を主張し、御三家水戸の意向を幕府が尊重した、いや、黙認した結果の大船建造であった。

光圀の脳裏には大海原を超えて、異国の国々があった。

この蝦夷地探検前史というべき時代、光圀は新造帆船に荒天の海への船出を命じ、結果、船は難破し、人命を失う悲劇をも経験していた。だが、光圀の夢が潰《つい》えることはなかった。

「総兵衛様、伝馬の仕度ができました」

水夫の一人が父子に報告した。

「よし、間近で船を眺めてみるとするか」

総兵衛と倅の勝頼が舳先から主甲板に下りた。そこは揚げ蓋《ぶた》式ではなくて水密性の高い異国の板材で固定され、荷の出し入れのために二カ所、四方型の口が設けられていたが、その孔《あな》も波浪が船倉に入り込まぬようにしっかりとした板材の蓋が嵌《は》め込まれ、防水がなされていた。

二人が左舷側から縄梯子《なわばしご》で伝馬に下りると、倅が櫂を握り、父親一人だけを乗せて鳶沢丸の船腹から離れさせた。大黒屋では伝馬と呼ばれていたが、洋式の小舟で二本の櫂を立って操るものだった。

十五歳ながら勝頼の櫂さばきは巧みで、ゆったりとした動きながら、伝馬はぐいぐいと快風丸に接近していった。

快風丸は大坂から招いた船大工によって造られていた。その昔の御朱印船のかたちに似ていなくもない。屋形の上の矢倉のかたちをした、

「あんじん箱」

が大船を特徴づけていた。

あんじんとは按針と記し、ポルトガル語のピロトの訳語で水先案内人のことだ。ためにあんじん箱には和磁石数種と海路の絵図などが用意され、楫取《かじとり》が操船の指揮をした。

光圀は長崎を通して異人船の航海用海図を購入しており、大船操船のための、つまりは大海原の向こうに想いを馳《は》せた入念な仕度を進めていたのだ。

それにしても不細工な船だと総兵衛も思った。

商人のなりをした父子が乗る伝馬が快風丸の舳先から左舷側へと回り込んだ。

すると船着き場と大船の間で最後の荷積みが行われていた。

勝頼は船着き場と大船を往来する荷舟の邪魔にならぬようにそれらの間をぬって櫂をつかい、快風丸の船体を仔細《しさい》に観察した。

快風丸が蝦夷に向うのは初めてではない。これで三度目の探検航海であった。第一回の蝦夷地探検は、貞享三年に行われていた。この折、船を指揮した主船頭は鈴木平十郎であったが、松前に到達したもののそれから先には進めなかった。

第二回目は翌年の貞享四年のことで松前付近だけの調査に終わっていた。幕府が石狩方面の立入を許さなかったからだ。二度の遠征のために快風丸の船体のあちこちに傷がつき、補修した痕跡《こんせき》が見られた。

この二度の蝦夷地松前への航海を踏まえて、光圀は執念の三度目の蝦夷地探検を試みようとしていた。ために快風丸には三年分の食料、水が積み込まれ、主船頭は二回目の航海と同じく崎山市内《さきやまいちない》が就き、その他に碇方《いかりかた》二人、楫取二人、帆方二人、医者一人、目付足軽一人、大工頭一人、炊《た》き方二人の幹部を含めて、総勢六十七人が乗り組むことになっていた。

操船を実際に担当する碇方、楫取、帆方の頭分は大坂、長崎で外海航海に慣れた面々を雇い入れていた。

勝頼は伝馬を艫に回り込ませた。

「勝頼、間近で見ると一段と大きいぞ」

総兵衛が言い、遠眼鏡であんじん箱を観察した。すると船着き場から三丁櫓の早船が接近してきて、

「なにをしておる」

と父子の行動を咎《とが》めた。

だが、父子は驚いた風もなく、

「水戸の殿様の大船を江戸より見物にきた者にございます」

と総兵衛が答えていた。

「なにっ、江戸じゃと。怪しげな奴《やっ》らめが、引きたてよ」

六尺棒を水戸家の番士が父子に突き付けた。

「おや、快風丸を見物してはなりませぬか。陸《おか》には大勢の見送りの方々がおられるではございませんか」

「つべこべ抜かすな。番屋に参れ」

六尺棒を構えた二人の番士が父子の乗る伝馬に飛び乗ろうとした。

その瞬間、勝頼がすいっ、と櫂を動かし、三丁櫓の早船との間合いを空けた。

ために飛び乗ろうとした番士は海中に次々に転落した。

「おや、これは失礼を致しました。ささっ、手をお貸し申しましょう」

片手を櫂に預けたまま、海中から顔を上げた番士の一人に勝頼が手を差し出した。

「ふ、ふざけおって、許せぬ！」

と早船に立つ組頭が怒鳴り、

「なにをしておる、自力で船に上がらぬか」

と番士を叱《しか》り付けた。

海中に転落した番士へと仲間が六尺棒を差し出し、次々に早船へ引き上げた。

そのとき、那珂湊に緊張が走った。水戸城下からの御座船が到着したのだ。

「殿のお出ましであるぞ！」

湊から声が響き、

「その方らの詮議《せんぎ》、あとに致す。伝馬を動かすことなく控えておれ」

早船の組頭が父子に命ずると、片膝《かたひざ》を胴ノ間について控えた。すると、父子もそれぞれの場所で畏《かしこ》まった。

父子は老公の姿を見た。

このとき、光圀は六十一歳、還暦を過ぎたというのに矍鑠《かくしゃく》とした身のこなしであった。その視線が海上の小競《こぜ》り合《あ》いに向い、伝馬の二人を見た。

総兵衛が頭を下げて会釈《えしゃく》を送った。

光圀が伝馬の二人を見て、その後方に係留された二檣《にしょう》の帆船に視線を送り、再び、伝馬に戻すと、

「大黒屋総兵衛、見送りに参ったか。それとも予が船を、快風丸を冷やかしに参ったか」

とにこやかな笑みといっしょに声を掛けた。

「ご老公様、冷やかしなど滅相もない。快風丸の大きさを堪能《たんのう》させていただきたく江戸より参上いたしました。見物のことお許し頂けましょうや」

「差し許す」

と応じた光圀が総兵衛を手招きした。

「はっ」

と畏まる総兵衛をよそ目に、勝頼が早船の組頭に、

「ご老公様がああ申しておられますが、このまま控えておりましょうか」

と訊《たず》ね返したものだ。

「そ、その方ら、殿と知り合いか。ならば早《はよ》う殿の下に参れ」

と慌《あわ》てて応《こた》えるのをしり目に、

「ご免下されましょう」

と応じた勝頼が伝馬を御座船に着けた。

「ご老公様にはご息災のご様子、欣快《きんかい》至極にございます」

「大黒屋、久しいのう」

「二年前にご老公様の『猩々《しょうじょう》』を拝見させて頂きましたのが最後にございます」

光圀は能楽に精通し、自らも演じた。

総兵衛は宝生《ほうしょう》流の能楽堂で光圀が舞った『猩々』を見ていた。

「どうだ、わが快風丸は」

「さすがに大きゅうございますな。この大船ならば大海原の向こうまでも辿《たど》り着けましょう」

「いけぬことはあるまい。じゃが、幕府の馬鹿《ばか》どもが蝦夷地探検すら許そうとはせぬわ」

大胆な言葉を吐いた光圀に同行の御側衆《おそばしゅう》が、御座船を快風丸に着けてよいかと許しを乞《こ》うた。頷《うなず》いた光圀が、

「大黒屋、同道せよ」

と命じた。

「ご老公様、私ども父子に快風丸の見物をお許し下さいますか」

「そのつもりで那珂湊に参ったのであろうが。無駄な言葉を弄《ろう》するでない」

「はっ」

と畏まる総兵衛から視線を勝頼に移した光圀が、

「そのほうが五代目の倅か」

「はい、勝頼にございます」

光圀の問いに十五歳の勝頼が畏《おそ》れる風もなく、二本の櫂を操りながら答えた。

「勝頼じゃと。なんとも商人らしからぬ名ではないか」

「代々わが大黒屋は二つ文字の名が仕来《しきた》りにございます」

「富沢町の大黒屋は家康様以来の古着商じゃが、古《いにしえ》を辿れば鳶沢某なる武士というで、勝頼であってなんの不思議もないか」

光圀が呟《つぶや》き、大黒屋の裏の貌《かお》を察しておると言外に匂《にお》わせた。

「先祖は武士というよりも野盗の類《たぐい》にございます」

「その野盗の末裔《まつえい》が水戸に姿を見せたはわけがあるか」

「快風丸は幕府が禁じた五百石以上の大船建造のお触れに逆らった大船というので父に願い、水戸まで見物に参りましてございます」

「なに、そのほうが望んだことか」

「はい」

「いかなる理由《わけ》ゆえそう父者に願ったか」

そのとき、御座船と伝馬は快風丸の船べりに横付けされた。縄梯子が垂らされており、

「総兵衛、勝頼、予に従え」

と言い残した光圀が縄梯子に取りつくと還暦を超えた老人とも思えぬ機敏さで快風丸に登っていった。

総兵衛と勝頼は光圀の御側衆が上がるのを待った。

「大黒屋、ご老公の命じゃぞ。そなたらが先に参れ」

光圀の腹心安積澹泊《あさかたんぱく》が応じた。それでも総兵衛が遠慮していると、

「親父様、海上では迷いは禁物、私がお先に参ります。ご免下され」

勝頼が縄梯子の端に伝馬を舫《もや》うとするすると縄梯子を上がっていった。

「大黒屋、倅はいくつに相なる」

「十五歳にございます。礼儀知らずの青二才、お許し下され」

「怖い者知らずの齢《とし》だけではあるまい。倅どのは、胆力が太いと見た」

「安積様、そのことが先々吉と出るか凶と出るか、私はいささか案じております る」

「初代以来の逸材となるか」

「初代は野盗にございます」

「古着商より似合いではないか」

と応じた安積が、

「さあ、いけ」

と総兵衛を急がせた。

総兵衛が快風丸の甲板に上がってみると、光圀と勝頼の姿はすでに出船の仕度が整った甲板にはいなかった。

「うむ」

と見回すと船室への入口に旅仕度の家臣がいて、

「大黒屋、こちらに参れ」

と手招きした。

案内に従い、船室へ入ってみると、光圀が勝頼になんぞ差し示して説明していた。

総兵衛と安積は足を止めて、二人の話を聞いた。

二人の前に黒塗金字の三文字の大額があった。縦九尺横三間の大額に、

「快風丸」

と船名があった。

「どうだ、勝頼。快風丸の出来いかん」

「ご老公様、忌憚《きたん》なき考えか、あるいはいささか粉飾にまぶした意見か、どちらがご所望にございますか」

「なに、さようなことを若輩ものが予に問うや」

「水戸宰相様に腹にある本心を述べる者はせいぜい十人に一人と言いとうございますが、百人に一人とはおりますまい。ご老公様がご家来衆の話を鵜呑《うの》みになさるなれば、天下のご意見番も大した役には立っておられますまい」

総兵衛が慌てて飛び出してきた。

「これ、勝頼、ご老公様になんたる言辞か」

「総兵衛、予が差し許したのじゃ、構わぬ」

と総兵衛に応じた光圀が勝頼に、

「忌憚なき考えを述べよ」

と命じた。

「ご老公様、この大額、何貫目の重さがございますな」

総兵衛が光圀の命には答えず訊ね返した。

「さあてのう、明《みん》の書家の東皐心越《とうこうしんえつ》に書かせた大文字ゆえ、ここに飾らせた。見事であろうが」

「快風丸はいくら大船といえども限られた空間にございます。物を積み、人を安全に運ぶためには積載すべき順序がございます。船飾りは不要とは申しませぬ。ですが、かような大額は無用の長物、快風丸が難船した折に、もそっと要り用な物があったと気付いた時にはもはや遅うございます。伊勢船型は頑丈ではございますが、異人のいう船上《トップ》・重心《ヘビー》の造りは大海原では不安定にございます。快風丸を見回すに一事が万事、無駄なもので飾り立てた船かと存じます」

光圀の顳顬《こめかみ》に青筋が浮かんだ。だが、光圀は一瞬で怒りを鎮《しず》めた。

「ご老公様、そのお怒り、ごもっともと存じます。されどわが鳶沢丸をご老公様が見物されたあとに、それでも私の申し上げたことが理不尽と思《おぼ》し召されるなれば、この勝頼、お手打ちでもなんでもお受け致します」

光圀の顔の怒りがすうっと消えた。

「よかろう、快風丸を見送ったのち、大黒屋の船を試し乗りした上でそのほうの言葉の正否を問う、覚悟致せ」

「承知　仕《つかまつ》りました」

勝頼が平然と応じた。

総兵衛が大きな息を吐いたが、安積の嘆息も重なった。

二

異人たちが「ぱしふこ」と呼ぶ大海原の西端を二艘の帆船が並走していた。

一艘は伊勢船型の快風丸であり、幅広い刺し帆の左舷後方から西風をうけて順調に北進していた。

全船長二十七尋（約四〇・九メートル）に比して、たしかに帆幅は広かった。それに帆柱が十八尋（約二七・二メートル）もあり、そこから巨大な一枚帆が風を孕《はら》んで快風丸をいよいよ大きな姿にしていた。

もう一艘は石高にしてせいぜい千七百石積の二檣帆船、異人たちがスクーナー型と呼ぶ帆船で、大黒屋が二年ほど前、肥前長崎でオランダ商人から買い求めた船だ。

そのスクーナー型帆船を一見和船のように偽装してあった。

鳶沢丸の航、総船長は十六間（約二八・八メートル）しかない。その二本帆柱の前檣に縦帆が張られ、三枚の補助帆と合わせて風をうけて、快風丸の船足に合わせていた。

主甲板に光圀の姿があって、傍らに大黒屋の五代目総兵衛、倅の勝頼、そして光圀の従者として安積澹泊だけが従っていた。むろん水戸藩の見送りの船が国境付近の海まで随伴しているはずだが、快風丸の巨大な帆が風を孕んで突進するので、はるか後方に置き去りにされていた。

「安積、幸先《さいさき》のよい船出ではないか」

「いかにも気持ちよさそうに走っております。主船頭の崎山どのも満足にございましょうな」

と安積が答え、

「三度目の蝦夷行じゃ、なんとしても成果をあげんとな。その先には進めぬ」

と光圀の眼が東の果てなき海を眺めた。

「ご老公様の夢はこの大海原を渡り切ることにございますか」

勝頼が畏れもなげに尋ねた。

「那珂湊を訪れるたびにな、東の海にはるか果てから飛来する海鳥の群れを見た。また雲煙が湧《わ》き立つのを考えても東海の果てに異郷があることは察せられる。ならば大船を造り、波濤《はとう》を超えて、未知の異国を確かめたいとはだれしも考えることではないか」

光圀も十五歳の勝頼に正直な思いを述べた。

出会ったばかりの二人だが、年齢と身分の差を超えて、どことなく波長《うま》が合った。ゆえに光圀も勝頼の思う様の発言を許していた。

「いかにもさようでございます」

「海の果ての国を承知の口ぶりじゃな、勝頼」

「はっ」

「申してみよ」

「波濤万里の向こうにはアメリカ大陸なる大きな土地がございまして、未《いま》だ国体をなしておりませぬ、褐色の肌の先住民が住んでおりますそうな」

「褐色の肌の民が住む土地か」

「イスパニア女王の援助を得てこの大陸を発見したコロンなるジェノヴァ人はインドに到達したと勘違いし、先住民をインディアンと呼んだそうにございます、以来かの地の民はインディアンと呼ばれております。広大なる大陸の北辺にイギリス人が移り住み、新たな国造りを目指しておるそうにございます」

勝頼の知識は異人たちの口から直《じか》に教えられたものだった。すべて十二歳の折の長崎行きの際に得たものだった。

「ならばこの光圀が陣取り合戦に参戦しても文句は出まいな」

「それは」

「無理というか」

「まず快風丸ではこの大海原の東端まで達しえませぬ。ご老公様が以前に造られた船が難破した事例がございましたな。『ぱしふこ』が荒れた折は、和船造りではいくら大船でも立ち向かえませぬ」

うむ、と思わず洩《も》らした光圀の脳裏に苦い思い出が蘇《よみがえ》った。光圀の苦い悔いと無念を少年は仮借なくぐいぐいと突いてきた。それにしても古着商大黒屋の情報量はいかばかりか、と光圀は改めて舌を巻いた。自身が諸国に人を派遣して拾い集める情報をはるかに超えていた。
「この船ならば乗りきれるか」
「これはオランダ商人から買い求めたスクーナー型の帆船にございますが、いささか安全性に欠けましょうな、この大海原を五度往来したとしてすべて無事とは言い切れませぬ。『ぱしふこ』が荒れた折、無事乗り切るにはこの五倍から十倍の大きさと完全なる装備を備えた船、更に熟練した船長《ふなおさ》と多くの水夫《かこ》たちが要りましょう」
勝頼が答えたとき、快風丸から、
ぶおっ
というほら貝の音が響いてきて、国境の海に接近したことを告げた。
勝頼が操舵場《そうだじょう》の主船頭に合図すると、がたがたと扉が開く音がして、大海原に向って、
どんどどーん！
と空砲が次々に撃ち出され、快風丸の船旅の前途を祝した。

光圀も安積も驚きを禁じ得なかった。

「大黒屋、この船には大砲を積んでおるか」

「はい、外海での航海ではそれなりの武器を装備しませぬと異国人の海賊に襲われたとき、太刀打ちできませぬ。本日はおめでたい船出ゆえ空砲にてお祝い申しました。異人は港を出入りする折など空砲を撃って航海の安全を祈るのだそうにございます」

総兵衛が答え、光圀は商人の所有する船に大砲が積載されることを幕府が許すはずもないが、と考えた。すると、

「幕府のお触れに反すると仰《おお》せられますか、ご老公様」

勝頼が光圀の思案顔を読んだように即座に問うた。

光圀は答えない。

「大名家に許された持ち船の大きさは五百石までというのが幕府のお触れにございましたな。水戸様はその十倍も大きな快風丸をお造りになりました。御三家の一にして、定府の水戸様なればこそ黙認された特別なる事例にございましょう」

「大黒屋の大砲もまたいっしょと申すか」

「異国との交易を目指すなれば堅牢《けんろう》な船を造り、防備を備えるのは至極当たり前のことにございます、ご老公様」

「うーむ」

と唸《うな》る光圀に、

「快風丸には大砲の用意はございませぬか」

と少年が糾《ただ》した。

「蝦夷地は徳川幕府が支配する土地じゃ、さような武器がいろうか」

「かの地でおろしゃ人の海賊船に出会《でお》うたとき、いかがなされますな」

光圀はあんじん箱の矢倉から手を振って見送りに応《こた》える崎山市内主船頭らを黙って見詰めていた。

勝頼に言い負かされた光圀は胸底で怒りが渦巻いていた。だが、ここで怒ればば十五歳の少年の言葉に屈したことになる。

勝頼が話柄《わへい》を不意に変えた。

「ご老公様、那珂湊に引き返す前にいささか船遊びをしてようございますか」

「うむ、なにをしようというのか」

「最前わが持ち船の性能を承知していただくと約定《やくじょう》致しました」

「おお、そうであった。最前の大砲装備もその一つじゃな」

「はい」

「よし、鳶沢丸の本性を光圀に見せてみよ。この光圀、なかなかのことでは満足せぬぞ」

光圀の言葉に勝頼が頷き、前檣の帆柱のもとへと光圀を案内した。

「高さは六十八尺（約二〇・六メートル）、帆柱の幹元の径はおよそ二尺（約六〇・六センチ）、ヨーロッパで育った大杉を使《つこ》うております。これまで快風丸の船足に合わせておりましたゆえ、鳶沢丸は未《いま》だ正体を見せておりませぬ」

勝頼が説明すると、操舵場に向い、

「主船頭、全檣に帆を張れ」

と命ずると操舵場から復唱する声が響いて、どこにいたのか機敏な帆方が姿を見せて、後檣と補助帆三枚を瞬《また》く間に張り終えた。すると一気に船足が上がった。

「主船頭、面舵にとり、針路を東に転進せよ」

「進路東に転進、面舵！」

西風をまともに受けた鳶沢丸の船速がさらに増し、光圀の体が後方へと持っていかれそうになった。

「ご老公様、こちらへ」

勝頼が操舵場下に設けられたひじ掛け付きの椅子《いす》に光圀を座らせた。

「南蛮人や紅毛人の帆船は、舳先から艫に向い、竜骨なる背骨が貫いております。その背骨から左右に何本もの肋材《ろくざい》が船壁へと延びて、堅牢な船体を形作っております。一方、和船も船底材として航《こう》とか敷《しき》とよぶ檜《ひのき》、松などの基本材を用いますが、これはあくまで板にございます。千石船で航の長さは四十五尺、幅五尺、厚さは一尺もございまして、竜骨より頑丈に見えますが、かような板は一材で得ることは難しゅうございます、ゆえに真ん中とその前後の耳航なる三材を繋《つな》ぎ合わせて造ります。両舷の垣立《かきたつ》は檜などの角材を用いますが、和船のほうが造りは細こうございます。ために嵐《あらし》などと遭《お》うたとき、複雑なつなぎから波が入り込んで参ります」

「これ、勝頼、ご老公様にそなたは能書きをたれるか」

父親の総兵衛が倅に注意した。

「おお、これは失礼をば致しました、お許し下さい」

勝頼が父の注意に己の僭越《せんえつ》を知らされ、かたちばかりその場に平伏した。

「勝頼、予が許したことじゃ。それにこの船はそなたの船、客に説明するは主《あるじ》の務めではないか。総兵衛、倅の勝手を許す」

光圀が言い、

「じゃが、勝頼、世俗に百聞は一見にしかずと申すではないか。この光圀に鳶沢丸を案内せえ。それが鳶沢丸を知る早道じゃ」

と命じた。

光圀と安積の二人を勝頼が主船頭、舵方など三人がいる操舵場に案内していった。

操舵場に緊張が走った。

だが、操船に不都合をきたすようなことはなかった。

光圀は複数の磁石や太陽や星の高度を測る測天儀の数々、ねじ式の精密時計、望遠鏡、陸地との距離を測る測量器、さらには無数の海図を仔細に見て、手にとり、あれこれと説明を求め、勝頼の知識の確かさに驚きを禁じえなかった。

「安積、快風丸よりもはるかに優れた道具と海図ではないか。かようなものを一商人が持ち船に載せておるか」

「殿、これらの道具と海図を快風丸に持たせてやりとうございましたな」

と安積が嘆息した。

「ご老公様、安積様、重なる道具や海図はあろうかとは存じましたが、主船頭の崎山様に手土産として一式、出船前にお渡ししてございます」

「なに、いつの間にさようなことをなしたか」

光圀が驚き、

「さすがは鳶沢一族、やることが手早いわ。十五の小僧にこの光圀、虚仮《こけ》にされっ放しではないか」

と感嘆し、ふっふっふふ、と嬉《うれ》しそうな笑い声をあげた。そして、操舵場を眺め廻し、

「舵棒はどこで操る」

と尋ねた。

「ご老公様、舵は船体に組み込まれておりますゆえ、この舵輪の回転にて行ないます」

と答えた勝頼が、

「主船頭、そろそろ那珂湊に向け、転進せよ。ご老公様と安積様のお姿が見えぬとご家臣衆が案じておられよう」

と命じた。

「東より北西に向け、転進！」

主船頭の命に鳶沢丸は逆風を切り上がるために目的地の那珂湊からいったん北西方向へと転進した。さらに陸地に近付いたところで、南西に転じて那珂湊への帰路に就くのだ。

鳶沢丸の操舵場下に船室があった。

「大黒屋、そなたらは古着商いのためにかような南蛮船を購《あがの》うたか」

船室内の円卓についた光圀は総兵衛が仕度させたポルトガル産の葡萄酒《ぶどうしゅ》のグラスを手に訊《き》いた。

「ご老公様、古着商いだけなれば弁才船《べざいせん》で間に合いましょう」

「であろうな」

「勝頼が申しますには古着商も時代とともに変わらねばならぬ、そのために己を長崎見物に出してくれと申しまして、長崎にやりましたところ、この船を購《あがな》ってきたのでございます。それが二年前の正月のことにございました」

「十三の小僧が南蛮帆船を買い物してきたと申すか」

「ご老公様は十三になられた折、右近衛権中将《うこんえのごんのちゅうじょう》に叙せられ、日光東照宮に参拝なされたではございませぬか。商人の倅が長崎に参り、交易を知るのも同じことにございます」

「ふっふっふ、ああ言えばこう返しおる」

と愉快そうに笑った光圀が、頬を引き締めて問うた。

「この南蛮船をなんのために供するつもりか」

「ご老公様、これは南蛮船ではございませぬ、オランダで造船されました帆船にございまして、鳶沢丸の旧名はウィルレム号と申しました」

と訂正した勝頼が、

「乗り潰《つぶ》すつもりで買い求めました」

「なに、乗り潰すつもりじゃと、この船の値はいくらであった」

「六門の大砲がついて二千七百余両にございました」

「二千七百両もの大金を出した船を無為に乗り潰すと申すか」

「ご老公様、無為に乗り潰すのではございませぬ。オランダの造船術、航海術、砲術などを知るためにとことん乗り潰すのです。私どもはこの鳶沢丸を経て、次なる目標に向います」

「ほう、小僧がなかなか仕度のよいことよ」

「ご老公様とて、快風丸以前に大船を二艘試作され、乗り潰されましたゆえ、本日の船出の日をお迎えになることがおできになられたのではございませぬか」

「いかにもさよう」

と応じた光圀が、

「総兵衛、そなたの倅はこの先、逸材に成長するか、ただの道楽息子にて終わりおるか、なかなか楽しみじゃな」

「大黒屋を六代目で潰すことにならぬかと案じております」

「表看板の古着屋を潰しては、裏の貌の隠しようがないではないか」

船室には光圀と腹心の安積、そして総兵衛父子の四人だけがいた。

父と子は水戸光圀が鳶沢一族の影御用をどこまで承知かと思案した。

「ご老公様、いかにもさようにございます。ゆえにこの勝頼、神君家康様が初代鳶沢成元に許しを与えられた古着商いを決して潰すことは致しませぬ」

「そうあることを光圀も願っておる」

「ご老公様もまた異国との交易を目指しておられますか。その足がかりとしての蝦夷地探検と睨《にら》みましたが」

「安積、小僧に水戸のふぐりをギュッと握られたわ。さあてどうしたものかのう」

「こうして供応を受けておる身にございますれば、仲よう互いの情報を共有し助け合うことが肝心かと存じます」

「安積はああ申しておる。どうだ、大黒屋」

「徳川御一門の重鎮の仰せられること、大黒屋の使命に相反することはございますまい」

「万が一、水戸家様に存亡の危機が降りかかるごとき事態が出来致《しゅったい》さば、富沢町にご一報下されば、私ども万難を排して駆け付けまする」

「心強いことよ」

十五歳の少年の言葉に光圀が真顔で応じ、

「この船での持て成しの礼をせねばなるまい。総兵衛、勝頼、今宵《こよい》は水戸に泊まれ。光圀が一服茶を点《た》てて進ぜようぞ」

那珂湊から水戸城下は二里（約八キロ）ほど離れていた。

水戸に大黒屋の父子を招くというのだ。総兵衛には一瞬迷いが生じた。いくら水戸が御三家の一にして、

「天下の副将軍」

と称されようと、将軍家との間に利害が対立する場合も生じないとは言い切れないことを考えたからだ。その迷いを察したように光圀の視線が勝頼に向けられた。

「総兵衛は、迷うておるな。勝頼はどうする」

「勝頼、どうじゃ」

「ご老公様のお招きを拒む人間がおりましょうや。私め、父が遠慮すると申しても参ります」

光圀が高笑いすると、致し方なく総兵衛も、

「倅に引かれて善光寺参りならぬ水戸様詣《もう》での一服、ぜひ馳走《ちそう》に与《あずか》りとうございます」

と有り難く受けた。

三

御三家の一、水戸徳川家の水戸城は那珂湊から那珂川を上ること二里、那珂川と千波湖《せんばこ》に挟まれた舌状台地の先端に築かれた平山城であった。

まず鎌倉時代の初めに馬場資幹が城を天然の要害の台地に築いた。

戦国時代には江戸氏、佐竹氏の活動拠点になり、慶長五年（一六〇〇）、関ヶ原の合戦で佐竹義宣《よしのぶ》は、徳川側に与《くみ》しなかったことから、秋田に追われた。

慶長七年のことだ。

その後、家康の五男武田信吉《のぶよし》が水戸に入ったが翌年に病死、十男頼宣《よりのぶ》が代わって移封《いほう》してきたが、慶長十四年に駿府に転じた。そこで同年に十一男の頼房《よりふさ》が二十五万石で入封した。かくて幕末までの十一代、御三家の一として水戸徳川家の居城になる。

光圀は初代頼房の三男として生まれ、父の死をうけて寛文元年（一六六一）八月十九日に二代目水戸藩主に就いた。

このとき、光圀は三十四歳、以来二十九年にわたり、水戸徳川の藩主として確固とした地位を築きあげていた。

水戸城は寛永年間、頼房の代に改修がなされ、台地の東端に本丸を置き、西方に二ノ丸、三ノ丸と曲輪《くるわ》をつらねて、さらにその西側に城下町を造り上げていた。

光圀の代に入っても天守はなく二ノ丸の御三階櫓《やぐら》を天守代わりとした。

那珂湊から光圀の一行は、御座船で水戸城下に向った。

総兵衛と勝頼の二人は御座船に同乗を命ぜられ、那珂川の春の景色を愛《め》でながら、水戸に向うことになった。

かように内陸部の水戸城と城下は那珂川を通じて外海にでることができたのだ。

当主五代目総兵衛と継嗣の勝頼が光圀の御座船に同乗し、水戸に向うことを知った鳶沢一族は御座船出立に先立ち、徒歩組《かちぐみ》を水戸城下に先行させ、また御座船が那珂湊から出立したあと、伝馬船《てんません》に乗った面々を追尾させた。

御座船では光圀が、

「総兵衛、そなたの先祖はわが爺様《じじさま》を承知じゃな」

と上機嫌の笑みを浮かべた顔で問うていた。

光圀の周りには、安積、総兵衛、勝頼の三人しか侍《はべ》ることは許されなかった。

「古着屋風情《ふぜい》が神君家康様と知り合《お》うていたなどありましょうか」

「総兵衛、そなたの立場ではそう答えるしかないか。じゃが、富沢町の店と住いは家康様からの拝領地、城中ではだれもが承知していることよ」

「ご老公様、私どももそう聞かされております。ですが、わが先祖は無頼の浪人者、誇張した作り話やもしれませぬ。なにしろ慶長八年（一六〇三）、家康様が幕府の地に定められた折の江戸は、浜辺に葭原《よしはら》が生える寂しげなところでありましたそうな。さような時代にはなにが起っても不思議はございませぬ、そのような混乱に乗じて私どもの先祖が作り上げた勝手話かも知れませぬ」

「虚言《そらごと》と申すか。ならば勝頼に問う。そなたの店はなぜ江戸城の鬼門にあたる艮《うしとら》の方角にあるな」

「さあて」

勝頼も恍《とぼ》けてみせた。

「徳川一族なれば、大黒屋初代たる鳶沢成元がわが爺様と約した秘命があることを察しておるわ。富沢町に古着商を集めて、大黒屋を惣代《そうだい》として束ねさせ、古着商について回る情報と金を鳶沢一族の下に集めさせた。なんのためかのう、解《げ》せぬことよ」

「家康様がさような深慮遠謀を私どもの先祖を相手に企てられたと申されますか」

「勝頼、腹を割らぬか。鳶沢丸に予を招き、大砲まで搭載しておることを開陳しておきながらその返答はあるまい」

「船商いには危険が伴います、船一艘《そう》失いますと古着屋などあっさりと潰れかねませぬ。ゆえに大砲装備も自衛の策にございます」

勝頼の抗弁を無視した光圀が父子を睨んだ。総兵衛は言葉が聞こえなかったかのように顔を背け、子の勝頼は光圀の視線を正面から受けた。

その表情には差があった
父の顔付きは困惑し、倅《せがれ》の表情はどこか光圀の問いを楽しんでいるようであった。

「爺様が駿府で亡《な》くなられた折、遺骸《いがい》は駿府外れの久能山に仮埋葬された。その亡骸《なきがら》を護《まも》ったのが久能山裏の鳶沢村の一族であり、一年後に日光に東照宮を建設して遺骸を移送する折も、家康公の遺言により鳶沢村の面々が爺様に同道したというではないか。この鳶沢一族こそ江戸の富沢町で古着商を束ねる大黒屋とその一統であろうが。どうだ、勝頼、なぜ、そなたの船名を鳶沢丸と名付けたな。それでもうんと云《い》わぬか、腹を明かさぬか」

「鳶沢村の出ゆえに鳶沢丸と改名した。それだけのことにございましょう」

と子が答え、親が言い足した。

「さあて、困りましたな。私ども、幕府開闢《かいびゃく》のときから富沢町で古着商を続けて参りましたことは確かにございます。なれど万治二年以来、町奉行所の監督下に、きびしい統制を受けて参りましたことも事実にございます。家康様の格別のお計らいがあるなれば、私どももそっと自在に商いが出来たはずにございます」

「総兵衛、勝頼、まあ、よい。そなたらが腹を割らぬかぎり水戸から富沢町には戻さぬかもしれんぞ」

「ご老公様、それは困ります。私め、しがない古着屋渡世にございますが、この勝頼に商いを継がせる務めを負うております。水戸様の蝦夷地《えぞち》探検の大船出立を見物に参り、水戸にて足止めでは大黒屋の五代目の使命が果たせませぬ」

「どうだ、勝頼、そなたしばらく水戸に逗留《とうりゅう》せぬか」

「なんぞ面白きことがございましょうか」

「徳川幕府が始まって八十五年、ただ今は五代綱吉《つなよし》様の治世下にある。昨年、綱吉様は、世嗣徳松様を亡くされた哀しみからか、『生類憐《しょうるいあわれ》みの令』を世間に命じられた。じゃが、徳松様がお亡くなりになったのは五年も前のことじゃ。だれが唆《そその》したか知らぬが、生き物を大事にせよ、格別にお犬様を大事にせよと、厳命されたそうな。どのようなことをお考えか知らぬが、訝《いぶか》しきことよ。そうは思わぬか、大黒屋総兵衛」

「はっ、はい」

総兵衛は返答に困って言葉を詰まらせた。

「勝頼、そなた、どう思う」

「小石川御殿番の下人が人を嚙《か》んだ犬を始末したところ、主《あるじ》は改易、下人は八丈島に遠島になったとか。富沢町でも朝起きた奉公人がまずなすことは店の前に行き斃《だお》れの犬など生き物の死骸はないか探ることにございます。あるとなると、そおっと隣家の前に移しておくことが流行《はや》っております。かように人心を惑わすお触れは、天下の悪法かと存じます」

「大黒屋ではどう始末しておる」

「不寝番を置き、富沢町の夜回りを行ない、生き物の死骸が他町から運ばれてきた場合など麻袋に詰めて江戸の内海に沈めております」

「父は言いきらぬが勝頼、そのほう、なかなか腹が据わっておるな」

「いいえ、父とは立場の違いがございます。私めが父の跡を継ぎましたのちには、水戸のご老公様のこうしたお問いかけにもそうそう簡単には答えられますまい」

「五代将軍綱吉様には未だお世継ぎがおらぬが、総兵衛、そのほう、なかなかの六代目を得たな」

光圀が言ったとき、

「殿、船着き場に到着致しましてございます」

と安積が光圀に告げた。

「澹泊、二人を城中に泊めおけ。勝頼、そなたに話がある」

と言い残した光圀が御座船をさっさと下りていった。その場に残った大黒屋父子と安積の三人は顔を見合わせた。

「安積様、ご老公様にはなんぞ思惑があってのことでございましょうか」

「迷惑か」

「滅相もない。水戸のお殿様にお招きを受けるなど一介の商人には恐縮至極でございます。有り難きお話にございますが、正直戸惑うております」

「殿がかように執着なさることもお珍しい、よほど鳶沢丸の乗り心地がよかったと思える。滅多にない機会、楽しんでいかぬか」

「どれほどの日にちにございますな」

「さあてのう、殿の胸中を読める者はおらぬゆえ、その問いには答えられぬ。また、こたびの誘いはそもそもそなたらが鳶沢丸で那珂湊に乗り込んできたことに端を発しておる。大黒屋に魂胆ありて那珂湊に鳶沢丸を乗り入れたと殿が思われても致し方あるまい」

「鎖国令下、大船を建造して蝦夷地を目指す水戸様のご英断を見物に来たのでございましたがな」

総兵衛の返答に安積が含み笑いで応じると話柄を変えた。

「大黒屋総兵衛、われら、殿の命で壮大な本朝の史記を明暦三年（一六五七）から三十一年の長きにわたり修しておる。神武天皇の御世から説き起こしてわれら日本人がなにをなしてきたか、これからどう生きるべきかの指針となる歴史を編纂《へんさん》するのだ。あと何十年の歳月を数えれば完成するか、だれにも分からぬ。また完成したこの史記の全貌《ぜんぼう》をだれもが想像もできぬ。おそらく殿の頭の中にだけおぼろげに在るのであろう。この史記の執筆編纂のためにわれらは諸国に派遣され、あれこれと古《いにしえ》からただ今までの出来事を掘り起こして、殿にご報告申し上げるのだ」

　と安積が言葉をいったん切った。そして、しばらく二人の顔に視線を預け、語を継いだ。

「さような旅の道中の他に殿は、駿府で亡くなられた家康様の遺骸が久能山に仮埋葬、一年後に川越を経由して日光に移された経緯について殊更《ことさら》関心を抱かれ、われら家臣たちに度々駿府から遺骸が通った道を道中するように命じておられる。その道中でわれらは鳶沢一族の種々《くさぐさ》を知った。大黒屋、そなたらと殿が話し合う機会など滅多にあるものでもあるまい、黙って城中に逗留しておれ。そなたらが、水戸を立去りたいと思うなれば、いつでも抜け出せる才があろう。のう、勝頼」

　勝頼は安積の忌憚《きたん》のない話に、

「親父《おやじ》様、いかにも私どもの考えで那珂湊に参ったのです。ご老公様のお目に留まり、快風丸を見物し、鳶沢丸にご老公様をお招き申し上げたのもご縁にございます。水戸光圀様のお招きを素直にお受けいたしませぬか」

と父親の総兵衛に言ったものだ。どことなく総兵衛の顔が倅の言葉に和んだ。

水戸城中の離れ屋に二人は宿泊していた。

三度三度二の膳《ぜん》付きの食事が女中衆おすみによって運ばれてきた。夜には酒がついていた。

総兵衛が昼餉《ひるげ》を断り、一日二度の食事にして、それも一汁一菜か一汁二菜までにしてほしいとおすみに願った。

その願いは翌朝に聞き入れられた。

勝頼は一汁一菜の膳に藁《わら》づとに包まれたものが供されているのを訝しく見た。

「勝頼様はこの食べ物をご存じではございませんか」

勝頼は首を振った。すると親子の膳に侍って給仕するおすみが、

「なんぞ　なんぞ
なんぞ　なんぞ
なんぞのさきに糸つけて……

なっと　なっと　水戸なっと」

と澄んだ声でわらべ歌を歌いながら藁づとを解くと、ねばねばした豆のかたまりが現われた。

「なんであろうか」

勝頼の呟《つぶや》きをおすみがちらりと見て、空の器に豆を移して箸《はし》でかき混ぜると豆が糸を引いた。

「納豆と申し、お殿様の好物にございます。ご飯に混ぜて食されます」

「試してみます」

勝頼とおすみの会話を総兵衛が黙って聞いていた。

おすみがめしを茶碗《ちゃわん》に装《よそ》い、納豆を載せ、勝頼に差し出した。

茶碗を受け取った勝頼におすみが、

「そのまま召しあがるのもようございますが、めしと混ぜて食べると絶品にございます」

「頂戴《ちょうだい》する」

勝頼は箸の先にめしと納豆を載せて食していたが思わず、

「美味《うま》い」

と洩らし、めしと納豆を掻《か》き混ぜた。

納豆はこの辺りでは昔から広く食べられている物のようだったが、富沢町では食する習わしがなかった。

こうして一日二度の食事には慣れたが、藩主光圀に呼び出される気配もなく、安積澹泊が離れ屋に姿を見せる様子もなかった。

むろん水戸城下に鳶沢一族の配下が潜入していたが、以心伝心で城中に忍び込むべきではないと考え、行動に移すことはなかった。

三晩目を迎えようとした夕暮れ前、

「勝頼、われらは水戸城にいつまで幽閉されておるのか」

「親父様、富沢町におられるときは気が鎮《しず》まることもございますまい。かようなときは滅多にあることでなし、梅に鶯《うぐいす》を楽しんで鋭気を養いませぬか」

「というおまえもいささか閑《ひま》を持て余していよう」

「正直のところ、体を動かせぬのが辛《つろ》うございます」

勝頼は、七つの折から江戸において父の総兵衛によって祖伝夢想流の手ほどきをうけ、鳶沢村に一年半ほど逗留して祖伝夢想流の継承者、鳶沢又兵衛より奥伝をとことん叩《たた》き込まれてきた。

勝頼の朝夕の日課は富沢町の地下の大広間と道場を兼ねた板の間でたっぷりと祖伝夢想流の稽古《けいこ》を積むことだった。

だが、表の顔が古着屋であるかぎり、水戸城内で武術の稽古をするわけにもいかない。

活力旺盛《おうせい》な十五の体が不満に疼《うず》いていた。

「ご老公はわれらが正体を明かすことを願《ねご》うておられるのか」

問わず語りに総兵衛が洩らした。

「親父様、ご老公はもはやわれら鳶沢一族が二つの顔を使い分けておることはご承知にございましょう。ですが、影様と二人三脚という秘命まではご存じございますまい」

「であろうな」

「ご老公は懐《ふところ》に飛び込んできたわれらになにを望んでおられるか」

「そのことです。ただ水戸様のお望みになることだとしても、われらの秘命とぶつかることもあるやもしれませぬ。血が近いほうが憎しみも深くなることがございます」

影様とともに鳶沢一族が動くのは、徳川家に危機が及ぶような事態の出来を知ったときだ。その中でも最優先事項は将軍家へ直接危害が加えられるときだ。

勝頼はすでに前年父とともに影御用を勤めていた。ゆえに一族の秘密を経験していた。

水戸徳川とはいえ、綱吉に刃《やいば》を向けぬとはかぎらぬ。

那珂湊からの御座船の中で光圀自らが持ち出したのは「生類憐みの令」への不満だった、つまりは綱吉が将軍として相応《ふさわ》しくないのではないか告げようとしたのか。

人の命が軽んじられて、他の生き物を恐れて暮らしていく触れである。

健全なる考えの持ち主なれば、だれが見てもこの触れが尋常ではないことが分った。その上、触れは日に日に解釈が厳しくなっていた。

光圀は鳶沢一族の長と継承者になにを訴えようとしているのか。

「そこじゃ、秘命にまで触れることは絶対に避けねばならぬ」

「その折は強行に脱出を試みるしかございますまい」

「まさかご老公がそこまでわれらを追いこむこともなかろうと思うがな」

「いかにも」

総兵衛も勝頼も水戸城中から自力で逃げようと思えば、逃げ出す自信はあった。そのうえ父子の逃亡を心一つにして手助けしてくれる一族の者たちがいた。だが、鳶沢一族の矜持《きょうじ》と自尊心が逃げ出すことを禁じていた。まして相手は水戸光圀だ。できることとなれば鳶沢一族が敵対する関係を作りたくはなかった。

「私どもが動くのを待っておられる。ならばここは我慢の時ではなかろうか」

「親父様、いかにもさようです」

十五歳になったばかりの勝頼が父の言葉に同意した。

「臥所《ふしど》の仕度を」

といつもの女中衆おすみが姿を見せた。

最初別々の座敷に父子の臥所を用意しようとした。だが、勝頼が願って同じ座敷に二つの床を敷き延べてもらった。

万が一、襲われるようなことになったとき、父と子が分断されるよりも二人ともにあったほうが対応できると思ったからだ。

女中衆のおすみは今宵も、

「大黒屋様の親御様と倅様は仲ようございますな」

と笑って床を並べて敷いてくれた。

「おすみ様、ご老公様は多忙でおられますか」

「退屈なされましたか、勝頼様」

「いささか」

「そろそろお呼びがかかるやもしれません」

「期待して眠りに就きます」

と答えた勝頼は用意された寝着に着替えた。

「勝」

と寝床の隣から総兵衛が呼びかけた。勝と呼びかけるときは総兵衛が胸中を隠し立てせずに話すときと勝頼は知っていた。

「なんでございますな」

「鳶沢一族にはいくつかの不文律がある。承知じゃな」

眠りに落ちようという刻限に総兵衛が問うた。

「たとえば一族の長は一族の者から嫁をとらねばならぬ」

「はい」

と答えた勝頼は、父がなにを言い出したか戸惑い、それ以上の言葉を続けなかった。

「そなたとかように二人になる機会はそうはない」

勝頼は父の言葉に疲れと諦《あきら》めがあるのを承知していた。

（父は宿病に冒されている）

子の勘がそう教えていた。そう感じ始めたのはつい最近のことだ。

「そなたがわしの後を継ぎ、嫁女を貰《もら》う折のことだ。一族以外の娘をと、心に想《おも》うことがあるやもしれぬ」

父は兄妹のように親しい小網町《こあみちょう》の船宿幾《いく》とせの千鶴《ちづる》のことを頭に置いての発言だと勝頼は思った。幾とせは大黒屋と親類縁者のように親しい。だが、一族ではない。

「百たびそのことを考えよ。それでも諦めがつかぬときはそなたの心のままに決断することじゃ」

「なぜさようなことを、かような時に申されますな」

「その時がくれば分かろう。好いた女子《おなご》と所帯を持ったからといって幸せになるとは限らぬ。また一族の不文律に従《したご》うたとしても、終生悔いは残ろう。そのことをな、そなたに言うておきたかっただけだ、勝」

父とのいささか訝しい謎《なぞ》の会話があった夜からさらに二日後の早朝、離れ屋に人の気配がした。親子は急ぎ、床を離れて、身繕いをなした。すると、

「殿がお呼びにございます」

と廊下に座した体《てい》の若い声がした。

「承知しました」

勝頼が障子戸を引き開けると、勝頼と同年配の小姓が、

「稽古着にお召しかえを」

と道場着を勝頼に差し出した。

どうやら勝頼が退屈しているのを見透かして朝稽古に呼んだ気配があった。

「私めだけにございますか」

勝頼の問いに小姓が頷《うなず》いた。

総兵衛の思案顔をしり目に勝頼は袴《はかま》を着け、刺し子の稽古着に袖《そで》を通した。

父子が小姓に案内されたのは城中の一角にある御道場だ。すでに家臣たちが集まり、稽古を始めている気配があった。

広々とした道場では百数十人の家中の者が稽古を始めていた。北向きの一角に神君家康公や武神をお祀《まつ》りした立派な神棚があって水戸藩の重臣方が数人居並んでいた。だが、光圀の姿はない。

総兵衛と勝頼は見所下に正座すると、神棚に拝礼をなした。そのとき、

「殿、ご出座！」

の声がして、稽古中の家臣たちが稽古を止《や》めて左右の壁際《かべぎわ》に下がった。父子も低頭した。

粛然とした緊張と静寂が道場内に満ちた。

ふだん水戸家の藩主光圀は定府が決まりだ。光圀が早朝稽古に立ち合うことなどないのであろう。ために家臣の間に緊張が走ったのだ。

「殿、お早うござります」

国家老が声を発したようで道場内の全員が和し、父子もそれに倣《なら》った。

勝頼は、低頭したまま水戸家には剣術だけでも一刀流、新陰流、真陰流、東軍流、鹿嶋神道流と十数流派が競い合っていることを思い出していた。

「大黒屋勝頼、面を上げよ」

と光圀が命じた。

「はい」

と応じた勝頼が光圀を見た。

「幕府開闢以来の古着商大黒屋の家訓は、『商ありて武、武ありて商』と聞く。勝頼、腕前を披露せよ」

「先祖が野盗まがいの浪人者ゆえさような風聞が流れたのやも知れませぬ。初代の心構えは八十余年の歳月に薄れて、かたちに堕しておりまする」

「よい、見てみよう」

勝頼に応じた光圀が、

「武田諷玄斎《ふうげんさい》、だれぞ勝頼の相手を選べ」

鹿嶋神道流の水戸藩の継承者にして師範の武田に命じた。

「殿、商人の倅はいくつに相なりますか」

「勝頼、十五歳であったな」

「はい」と答えた勝頼を見た武田が、

「なりは大きいが十五にございますか。ならば、青山源四郎、相手せよ」

と一人の少年に命じた。

はっ、と承った青山は水戸家藩道場の少年組の四天王の一人で十六歳だ。背丈は五尺五寸（約一六七センチ）だが、手足も腰もがっちりとして機敏そうな挙動で立ち上がった。精悍《せいかん》な顔に、

（商人風情の倅となぜ立ち合わねばならぬ）

と書いてあった。

両者は木刀で立ち合い、武田師範が審判を務めた。

「勝負は一本、勝敗の決したあとに恨みを残すことはならぬ」

と双方に注意した。

二人が頷き合い、一礼すると間合いを一間（約一・八メートル）にとった。

互いが正眼に木刀を構え、相手の出方を窺《うかが》った。相手の力を推し量ったか、

青山源四郎がするすると間合いを詰め、小手を叩くと見せて、肩口に痛打を浴びせかけた。

勝頼は相手の動きを見て、小手から肩口に転じた相手の木刀に絡《から》み合わせ、そのまま肩口を反対に叩き返した。

青山の腰が砕け、立ち直ろうとするところに、武田審判が、

「勝負あった、大黒屋勝頼一本！」

と宣した。

場内にどよめきが起こった。

「丹羽種次郎」

武田師範が淡々と二人目の相手を告げた。少年組四天王の頭分だ。身丈も勝頼を一寸五分ほど（四〜五センチ）超え、体付きもがっちりとしていた。

勝頼と丹羽種次郎の試合は丁々発止と技を繰り出し、動きを止めることはなかった。木刀が絡み合い、力技になって丹羽が間合いをとるべく身を退《ひ》こうとした瞬間、勝頼の狙《ねら》いすました小手打ちで勝敗が決まった。

道場内に落胆の吐息が流れ、武田師範が、

「堤新五右衛門」

と三人目を勝頼の対戦者に選んだ。

驚きの声が場内を流れた。

十八歳の堤新五右衛門は、武田師範の愛弟子《まなでし》というべき強者で、水戸家中でも将来を嘱望された剣術家だ。

勝頼は正眼、堤は下段の構えで対峙《たいじ》し、長い睨み合いのあと、ほぼ同時に踏み込み、仕掛けた。堤の下段の木刀が踏み込んでくる勝頼の足を薙《な》ぎ、勝頼は相手の面へと落とした。

同時に相手の体を捉《とら》えたかに見えたが、堤新五右衛門の木刀がさらに勝頼の足を払って横手に転ばした。

勝頼は木刀を手から離して床に転がると、

「参りました」

と堤新五右衛門に頭を下げた。

道場内に安堵《あんど》の吐息が流れた。

審判の武田がなにかを言いかけ、見所の光圀の表情を窺った。その顔に冷笑が浮かんでいた。

「新五右衛門、見事な踏み込みと二の手であった、褒めてとらす」

と堤を褒めると、

「総兵衛、茶室にて待て。約束の茶を点《た》てる」

と見物の大黒屋五代目総兵衛に声をかけると、

「勝頼、予に従え」

と勝頼に命じた。

四

光圀が勝頼を連れていったのは水戸城内の能舞台だ。むろん光圀には太刀持ちの小姓が一人だけ従っていた。他にはだれもいない能舞台だった。

「その方、能楽を見たことがあるか」

「ございません」

「能楽の動き、そなたにはいささか関心があろう」

と言った光圀が、

「琴の音《ね》添へて訪《おとづ》るる、琴の音添へて訪るる、これや東屋《あづまや》なるらん」

と自ら謡《うた》いながら『千手《せんじゅ》』を舞い始めた。その動きを見ているうちに勝頼の背筋にじんわりと冷汗が伝い流れていくのが分った。

（光圀公は鳶沢一族伝来の剣の流儀の秘密を承知している）

『千手』の物語はこうだ。

一の谷の合戦に生け捕られた平重衡《たいらのしげひら》は鎌倉に送られ、狩野介宗茂《かののすけむねもち》に預けられ死を待つ身であった。手越《てごし》の長の娘の千手は頼朝の遣いとして、重衡に出家の願いは叶《かな》わぬことを伝える。意気消沈する重衡を慰め、

「十悪といふとも引摂《いんじょう》す（極悪人であれ仏は極楽へ迎え入れる）」

と朗詠して舞う。そんな千手の気遣いに重衡の心も落ち着き、琵琶《びわ》を弾き、千手は琴を合わせる。

平重衡は夜明けとともに刑場へと送られていく。

物語ではない。光圀のゆるゆるとした動きが鳶沢一族の剣術流儀の秘密を伝えていた。

光圀が朗詠を止めて、

「勝頼、合せよ」

と命じた。

能楽の素養は勝頼にない。

「能楽など舞《も》うたことはございませぬ」

「勝頼、鳶沢一族の長になるものなれば、一族伝来の剣の流儀を会得《えとく》しておるはず。それにて合せよ」

光圀は、やはり祖伝夢想流の極意の動きを承知していた。

「手が寂しければ刀を貸し与える。均弥、予の刀を勝頼に与えよ」

「はっ」

と畏《かしこ》まる小姓が差し出す佩刀《はいとう》を両手で捧《ささ》げ受けた勝頼は、稽古着の腰に差すと、光圀を見た。

「げにげにこれは御理《おんことわり》さりながら、かかる例《ためし》は古《いにしへ》今《いま》に、多き習ひと聞くものを、一人とな嘆《なげ》き給《たま》ひそとよ」

光圀は再び『千手』の舞いへと戻っていた。

心を平らに鎮めた勝頼は、光圀の佩刀を抜くと、右手に扇を拡《ひろ》げた如《ごと》くに差し出して、光圀のゆるゆるとした動きに合わせて、祖伝夢想流の境地に没入していった。

光圀の舞の手と勝頼の剣が近づき、離れて二つの体が一つの意志を共有しているように動いた。それは流れる水の如くにして、また微風に葉叢《はむら》を戦《そよ》がせる木立の動きにも似ていた。

琵琶を弾く重衡と琴を奏する千手そのままに光圀と勝頼の二つの気息が通い合い、幽玄の場と無限の時の流れを現出した。

光圀が最後の朗詠、

「……千手も泣く泣く立ち出《い》で」

とシテ方を謡い、さらに地《じ》の、

「何なかなかの憂《う》き契《ちぎ》り、はや後朝《きぬぎぬ》に引き離《はな》るる、袖《そで》と袖との露涙……」

と謡い継いで舞い納めたとき、勝頼は祖伝夢想流の秘技の動きと技をすべて披露し尽くしていた。

一方総兵衛は茶室で安積澹泊を相手に一刻《いっとき》（二時間）以上の時を過ごした。

その茶室に光圀と勝頼が姿を見せ、光圀が亭主となって一椀《わん》の茶が供された。

水戸城内に滞在した大黒屋父子は、その夕暮れ、大手門を出て、街道を徒歩《かち》にて那珂湊へと向かった。前後に鳶沢一族の面々が従っていたが、二人の前に姿を見せることはなかった。

総兵衛は十五の勝頼と還暦を過ぎた光圀がなにを談じたか、問うことはない。必要なれば勝頼が告げるはずと思っていたからだ。

水戸から那珂湊への道半ばで日が暮れた。

持参した提灯《ちょうちん》に灯かりを灯《とも》して勝頼が下げた。

「親父様、光圀様はわれら鳶沢一族伝承の剣の流儀をご承知にございました」

勝頼がぽつんと呟いた。あくまで町人の言葉遣いだった。その言葉は二人だけに聞こえる声音でもあった。

「祖伝夢想流をか、だれが伝えたのであろうか」

「こたび私が披露する前に光圀様が祖伝夢想流奥伝を承知なされていたのはたしか」

勝頼はその経緯を語った。

「能を、それも『千手』をそなたに披露なされたとな」

「はい」

「そなたはそのことでご老公が祖伝夢想流の奥伝までをも承知しておると思うたか」

「光圀様は能楽の動きにわが流儀の奥伝が類似していることを承知しておられたゆえに私の動きに合わされて、いとも軽やかに能楽を披露なされました」

「流儀奥伝の他になんぞ問い質《ただ》されたか」

「はい、奥伝を披露し終えたとき、やはり道場では力を隠したか、と問われました。ゆえに正直、堤新五右衛門どのには悪いことを致しましたとだけ答えました。するとしばし沈思しておられた光圀様が、そなたがわざと新五右衛門に勝ちを譲り、流儀の秘技を隠したことをあの場で気付いたのは、審判を務めた武田諷玄斎の他に数人であろうと呟やかれました」

「他に剣術問答があったか」

「祖伝夢想流奥伝の心はいかにと問われました」

「なにと答えたな」

「鳶沢村の師が時折わたしめに注意なされた言葉をそのまま答えました」

「鳶沢又兵衛がなんとそなたに注意したたな」

本家一族の血筋の又兵衛は、六十七歳の老齢だが祖伝夢想流の継承者として、秘技を習得していた。大黒屋六代目を継ぐ勝頼はこの一年半余、その又兵衛の下で奥儀《おうぎ》を伝承されてきたのだ。

「祖伝夢想流の奥伝は静中の動、動中の静にありと」

「うむ」

と総兵衛が答え、わが倅《せがれ》を見た。その顔にはさような言葉は知らぬと書いてあった。

「又兵衛がな」

勝頼は虚言《そらごと》が父には見抜けなかったかと考えた。

「そなたの剣術は父を超えておる。ゆえに又兵衛はさような考えを披露したのかもしれぬ。で、光圀様は得心なされたか」

「と思われます」

鳶沢一族の頭分に就く者だけに伝えられる祖伝夢想流奥儀を師に教えられているあるとき、静中の動、動中の静という解釈、考えが勝頼の脳裏に浮かんだ。祖伝夢想流の奥伝は、静中にあって動に転じ、動中にあって静に間と律動を見る流儀だと勝頼は解釈したのだ。

「そのあとなんぞ話をしたか」

「いえ、祖伝夢想流奥伝と舞の談義問答に終始致しました。ゆえにご老公がわが一族伝来の剣の流儀にすでに通じておられるのは間違いないと考えました。われら一族側に奥伝を洩らす者がいるはずもないとすれば、つまりは、ご老公が鳶沢村にどなたかを派遣し、又兵衛師範が私を教え諭す修行の場を見させたのではないかと思われます」

しばし父と子の間に沈黙があった、鳶沢一族としてはそれが光圀の密偵であっても失態であった。

総兵衛が自問するように口を開いた。

「光圀様は水戸家家中の三木之次《ゆきつぐ》、武佐《むさ》夫妻の水戸の屋敷でお生まれになった。父御は初代水戸藩主徳川頼房様じゃが、母御は側室の一人、久子様といわれ、二十五歳であったそうな。光圀様は頼房様の三男、女子を加えれば七番目の御子になる。側室の久子様が懐妊された折、頼房様は、『故《ゆえ》有て水になし申候《そうろう》様に』と三木夫妻に命じられたという。じゃが、三木は主命に従わず久子様を自邸に引き取り、密《ひそ》かに出産させたのだ。勝頼、光圀様は実母久子様が懐妊された折、吐かれた実父頼房様の言葉をただ今も覚えておられる」

「頼房様はなぜ水に流すように命じられたのでございましょうな」

「ご老公ご自身は、母親の久子様が側室の間で、『勢《いきおい》之《これ》無きゆえか』と考えておられたそうな。そのころ、頼房様の第一の寵愛《ちょうあい》の側室は家臣佐々木正勝の女《むすめ》のお勝様で、江戸小石川藩邸で勢力を張っておられた。ために頼房様は久子様が身ごもった子を生ませることは叶わず、堕《おろ》すように命じられたのだ。ところが三木夫妻に匿《かく》まわれ、水戸城下の三木邸で密かに出産されたのだ。このご誕生の経緯はご老公のご気性を見る上で、大きな要因になっておるとみるべきじゃ」

「武家方にはさようなことは珍しくございますまい」

「いかにもさようじゃが、光圀様は命の恩人たる三木之次と武佐への感謝は今もはっきりとお持ちだ。だが、一方で父御に堕胎を命じられた事実もまた光圀様のお心に残っておる。このことが光圀様のご気性のすべてを形作ったとはいわぬ。だが、光圀様を一つの方向からばかり眺めると手ひどい反発を招こう、勝頼、注意せよ」

「ご老公は私などもなんぞに利用されようとしておられると思われますか」

「さあてな、だが、寛容と厳格、温和と激情が紙の裏表のように共にあるのがご老公じゃ。腹心のご家来衆も『殿の御心中、なんとも推量奉《たてまつ》りがたし』と感情の複雑を案じておられる。勝頼、そなただけを呼んで『千手』を見せたには、なんらかの含みがあるはずだ」

「私といっしょに親父様になぜ見物を許されなかったか」

勝頼も自問した。

「そこじゃ、十五歳のそなたを私より与《くみ》し易《やす》しと考えられたわけではあるまい。反対に大黒屋と鳶沢一族を変え得る人物と思うたゆえにそなたに『千手』を見せ、いっしょに舞うことを命じられたのかもしれぬ。よいか、勝頼、千手の情だけが光圀様のお心と思うては手ひどい火傷《やけど》を負う。光圀様は温和の顔の下に非情を兼ね備えておられる。助命を願う平重衡を刑場に送る冷酷を持っておられる」

「親父様の懸念《けねん》はなんでございますな」

「綱吉様への嫌悪《けんお》の情かのう。なぜわざわざ那珂湊から城下に向う折に、『生類憐みの令』を持ち出されたか。ご老公は、かように訝しい触れに執着なさる綱吉様とわれら一族とを嚙み合わせようとしておられるのではないか」

「親父様、それはございますまい。われらが影使命は徳川幕府の護持、光圀様とて同じお考えにございましょう」

「であるとよいが」

「先行きが不安にございますか」

「ご老公がそなたに告げた意味は『十悪といふとも引摂《いんじょう》す』、この世で十悪を重ねようと仏は極楽浄土に迎え入れるというお考えだ。ご老公は本道に違《たご》うたことなれば、綱吉様を諫言《かんげん》なさるお覚悟ではないか、そのためにそなたを使う気ではないか」

　勝頼は前方に待ち受ける人の気配と後ろから追い詰めてくる気配を感じつつ、

一族の者たちに、

「手出し無用」

を仕草で告げた。すると街道の闇《やみ》から一本の杖《つえ》が飛んできて、勝頼が片手で受けた。刀でも木刀でもない、旅する人間がごく普通に携帯する杖である。

勝頼は提灯を父に渡しながら、

「親父様、これも光圀様の差し金でしょうか」

と尋ねたものだ。

「いや、そうではあるまい。そなたの剣術を見た何人かが、正体を見せておらぬと見破り、そなたの真の力を試しにきたのではないか。どうするな、勝頼」

「お見送りの挨拶《あいさつ》には返礼をなすまでにございます」

「ほどほどにな、勝頼」

「畏まって候《そうろう》」

と子が父の命に従うことを告げた。

前後を十数人の覆面の武士が囲んだ。水戸家の家中、それも二十歳を過ぎた剣術に覚えのある面々と見え、それぞれが木刀を持参していた。

荒く弾む息遣いに緊張が見られた。

総兵衛の持つ提灯の灯かりが追跡してきた者らの動きを浮かび上がらせた。

「どなた様にございますな」

と総兵衛が問うた。

相手は無言だ。

「私どもは怪しいものではございません。江戸富沢町の古着屋大黒屋の主《あるじ》親子にございます。水戸の殿様に招かれ、その帰路にございます。ご不審なれば城中にお問い合わせ願います」

だが、だれも応《こた》えない。その代わりに木刀を構えた。

「ご返事もなく木刀を構えられた次第、この勝頼を試す所業と存じます。失礼ながらお相手仕《つかまつ》ります」

勝頼が答え、杖を構えた。

一陣の夜風が那珂川から吹き上げてきた。

前後の襲撃者が一気に勝頼を押し包み、打ちかかった。

その瞬間、勝頼は手にしていた杖を片手に立て、囲み込んできた襲撃者の間

に、
そより
と入り込んだ。

まるで葭原《よしはら》を風が吹き抜け、葉叢を揺らすようにゆるゆると動いた。

対戦者たちは、

「ごさんなれ」

とばかりに痩身《そうしん》の少年の体に打ちかかった。

だが、寸毫《すんごう》の間合いで躱《かわ》され、勝頼はそよりそよりと対戦者たちの間をすり抜けると囲みの外に出ていた。

「やはり」

と一人の襲撃者が呟《つぶや》いた。

「もはや遠慮は無用、われら水戸藩士を虚仮《こけ》にした商人を許せぬ」

「本性をお出しになられましたか」

勝頼が呟くと、杖にもう一方の手を添え、初めて両手で保持した。

「参る」

と思わず声をかけた長身の一人が突きの構えで勝頼との間合いを測ると、
ええいっ
と裂帛《れっぱく》の気合を夜の虚空《こくう》に響かせて、飛び込んできた。

勝頼が懐《ふところ》に呼び込んだ。

不動の姿勢で突きを受けるのはだれしも恐怖に見舞われる。

だが、勝頼は、恐怖に耐えて待った。

「静中の動」

勝頼が師匠の鳶沢又兵衛の教えから名付けた静中に動あり、その瞬間を感じとったとき、杖が動いて鋭くも突き出してきた木刀の先端を捉えて横に弾《はじ》き流し、その直後、肩を杖が捉えて地面に押し潰《つぶ》していた。

続いて一人ずつが勝頼の前と後ろから迫りきた。

勝頼は前面の対戦者を見ながら、杖を右手一本に翳《かざ》して後ろに突き出し、その先端が飛び込んできた相手の胸を突くと、数間も飛ばされて悶絶《もんぜつ》した。

だが、そのときには勝頼は前方の対戦者の懐に、そろりと入り込み、左手で胸を押してその反動を借りつつ、横へとふわりと飛んでいた。

勝頼が移動したところに三人の襲撃者が待ち受けていた。

三人はそれぞれ間合いが微妙に異なり、真ん中の覆面が、
すうっ
と息を吸い、止めた瞬間、鋭い面打ちを勝頼に見舞ってきた。

勝頼はその動きを見つつ、動いた。

「動中の静」

と勝頼が名づけた動きで、緩から急に転じて杖で相手の木刀を巻き落とすと、鳩尾《みぞおち》を突き、崩れ落ちる相手の立っていた場に一拍留《とど》まり、左右前方の対戦者を見ると、勝頼が仲間か敵か迷う風情《ふぜい》があった。

その直後、右から左手に勝頼のしなやかな体が飛翔《ひしょう》したあと、二人がどこを打たれたか、次々に転がっていた。

一瞬裡《り》に五、六人が戦いの場から離脱を余儀なくされていた。

「押し包め」

と頭分が自ら鼓舞するように残った仲間たちに命じた。

「何人《なんぴと》が水戸領内にて闘争に及ぶや！」

街道の一角から声が上がった。

動きを止めた頭分が、舌打ちすると、

「引き上げじゃ、捉《つか》まるでないぞ。怪我人《けがにん》は抱えてゆけ」

と命じると自らも気を失った仲間を肩に抱き上げて闇の中に紛れ込んだ。

勝頼は声の主、安積澹泊に一礼すると、那珂川の河原へと父を案内して下りた。すると水辺に鳶沢丸の伝馬《てんま》が待ち受けて、主父子を乗せた。

「よし、那珂湊へ急げ」

と伝馬の船頭が手下に命じ、船は流れに乗って河口へと下り始めた。

勝頼は街道にぽつんと灯った提灯に向って、再び一礼すると、

「親父《おやじ》様、思わぬ水戸滞在になりましたな」

と言葉をかけた。

「さてさて富沢町を何日も空けてしまいましたな。月明かりを頼りに夜旅にて江戸に戻りましょうかな」

と総兵衛が一同に言った。

六代目大黒屋総兵衛となる勝頼と水戸光圀の初めての出会いだった。

第二章　光圀《みつくに》との別れ

一

元禄十三年（一七〇〇）十二月十日。

未明の水戸街道を三頭の馬が走っていた。

乗り手は大黒屋総兵衛、一番番頭の信之助、そして四番番頭の又三郎の三人だ。先頭を行くのは鳶沢一族の間で、

「風神の又三郎」

と呼ばれ、変幻自在の身のこなしの又三郎だ。

総兵衛を真ん中にして最後をいくのは三段突きの信之助とよばれる槍《やり》の名手であり、総兵衛の腹心中の腹心だ。

水戸街道は、日本橋を拠点に千住宿を経て、常陸国《ひたちのくに》水戸城下まで三十里（約一二〇キロ）ほどの街道だ。江戸と御三家の一の水戸を結ぶ脇《わき》往還に過ぎなかったが、五街道並みに遇されていた。

水戸藩主は定府ゆえ参勤交代は行われなかった。それは御三家の水戸藩の将軍家に対する立場を反映してのことだった。ために世間では二代目藩主であった光圀を、

「天下の副将軍」

とか、

「ご意見番」

と呼んで畏《い》敬《けい》した。

小幡《おばた》と長岡には水戸藩藩主のための御泊御殿があった。

藩士たちの江戸と水戸の往来は頻繁で、この水戸街道を利用の折、二泊三日の行程を習わしとして、江戸を出立した場合、一日目は小金《こがね》宿、二日目は土浦

城下に泊まった。

光圀は水戸街道の整備に力を入れ、松並木の造成を手掛けた。一方、水戸街道は佐倉藩、常陸土浦藩などおもに上総《かずさ》、下総《しもうさ》、常陸の諸大名が参勤交代路として使い、その数二十三家に及んだという。

六代目総兵衛は貞享《じょうきょう》五年（一六八八）の快風丸の見送り以来、水戸との関わりを密《ひそ》やかに保ってきた。

とくに五代目総兵衛がこの水戸行のあと、体調を崩し、三年後の元禄四年（一六九一）の正月に身罷《みまか》ったあと、跡を継いだ六代目総兵衛は、水戸家に許しを得て水戸街道の要所に馬宿を設け、緊急の折、馬の付け替えができるように万全の備えをとってきた。

千住宿を出た総兵衛一行は荒川、江戸川を渡って一気に松戸まで三里六丁（約一二キロ）を駆け抜けた。

人馬が休息をとるのは川渡りの間の船の中だけだ。むろん深夜に渡し船などあるわけもない。だが、大黒屋ではかような場合でも各河川をいつ何刻《なんどき》でも渡れるように、土地の船頭や百姓船に極秘の繋《つな》ぎをつけてあった。

松戸宿の次なる宿場の小金宿に馬の付け替え宿があった。松戸から小金までの一里二十八丁（約七キロ）をだく足で馬を労《いた》わりつつ進めた三人はこの宿場外れの付け替え宿に千住から乗ってきた馬三頭を預け、新たな馬に乗り替えた。

小金宿は幕府直轄《ちょっかつ》の小金牧《まき》があるほど、馬の放牧飼育が盛んな土地だった。すでに朝は明けていた。

総兵衛一行は水戸街道と並行して走る裏街道や百姓衆が使う野良道《のらみち》に馬を乗り入れ、水戸と江戸の間を頻繁に往来する水戸藩士が乗る馬を避けつつ、人影のないところでは馬を急がせた。

小金から我孫子《あびこ》まで二里二十一丁（約一〇キロ）を走り切り、取手宿《とりで》との間にある利根川の渡し場で船を待つ間に馬と人とはわずかな休息をし、朝餉《あさげ》と昼餉を兼ねた飯を食した。

総兵衛らはふつう二泊三日を要する水戸街道を一気に走り抜く覚悟だった。取手宿に着いて二度目の馬の付け替えをなした。そして、総兵衛らは水を飲み、腹帯を締め直しただけで牛久《うしく》までの四里（約一六キロ）を走り出した。すでに水戸街道の三分の一を走破していた。牛久に辿《たど》りつけば街道の半ばを制したことになる。

総兵衛は疲労の中で記憶を辿っていた。

貞享五年二月三日に船出した快風丸は、蝦夷地《えぞち》に到着し、四十日余り滞在して、巨船到来の報に見物にきた者たちに食料を与え、その代わりに熊皮《くまがわ》などを受け取った。その滞在の間に乗り組みの深谷荻《おぎ》右衛門《えもん》ら六人は松前でやとった通詞一人をつれて、三日ほど石狩川を遡上《そじょう》して奥地を探索した。

蝦夷地に九月六日まで滞在した快風丸一行は、帰路に就いた。

野分け到来の季節だ、大雨大風に見舞われて反対の韃靼《だったん》方向へ百里（約四〇〇キロ）も流された。だが、なんとか順風を得て、松前に戻り、態勢を整え直して改めて出帆し、那珂湊に帰還したのは師走《しわす》の二十七日であったという。

快風丸の建造費だけで七千余両と言われ、三度の蝦夷地遠征に莫大《ばくだい》な費えを水戸藩は注ぎ込んだ。その成果は、塩鮭《しおざけ》一万匹、熊皮、ラッコ、トドの皮などに留まった。

三度の蝦夷地遠征のあと、光圀の蝦夷地への関心はなぜか急に失《う》せた。

一には快風丸の建造と蝦夷地遠征の費えが水戸藩の財政を圧迫したことがあった。それに、これは総兵衛の推測に過ぎぬが、造船技術において彼我の差があり過ぎることを鳶沢丸乗船において知らされ、蝦夷地往来ですら、帰路韃靼方向へと流された経緯を考え、大船建造と異国への遠征を封じたのではないか。

このような快風丸による蝦夷地遠征の経緯と結末は、光圀の腹心、安積澹泊《あさかたんぱく》によって大黒屋の父子に知らされた。

また光圀は家督を養嗣子綱條《つなえだ》に譲って隠居した。元禄三年（一六九〇）十月十四日のことだ。

その翌年の春、富沢町惣代《そうだい》の大黒屋五代目総兵衛幸綱《ゆきつな》が亡《な》くなった。

六代目総兵衛に就いた勝頼は、父が長崎に幼い勝頼を遊学させて異国のことを学ばせ、また鳶沢村に滞在させて、鳶沢又兵衛に祖伝夢想流の奥伝までを厳しく伝えさせたことには理由があることをおぼろに察していた。

五代目総兵衛は生き急いだ、いや、死に急いだ。宿病のために勝頼の成人を見届けられないのではないか、そのことを恐れていた。

父の死後、勝頼にそれをはっきりと伝えたのは御典医児玉宗堪《こだまそうたん》であった。宗堪は五代目の結核治療をなしてきた人物だった。

五代目総兵衛の弔いには、隠居の光圀の代理として安積が顔を見せた。そして、二人だけになった折、光圀の信書を手渡した。その書状を読んだのは六代目に就いた総兵衛だけだ。

父の四十九日の法事を終えた総兵衛は、その当時、大番頭は不在だったゆえに一番番頭だった笠蔵《かさぞう》に相談し、三番番頭だった信之助を伴っただけで、水戸街道を水戸に下り、西山荘に引っ越したばかりの光圀に祝いを届けることになった。

元禄四年（一六九一）五月三日。

西山荘は領内久慈《くじ》郡新宿《あらじゅく》村の西山に建てた隠居所であった。

総兵衛が訪ねた折、隠居所には未《ま》だ大工、庭師ら職人が入り、いささか性急に引っ越してきた様子が見られた。

萱葺《かやぶ》きの山荘の表側には竹垣をめぐらし、御垣の周りには枝垂《しだ》れ柳が四、五本植えられたばかりの様子があった。山荘のうしろには垣根はなく、山裾《やますそ》へとそのまま続いていた。西山荘の前庭と後ろ庭の二個所に池を配し、紅と白の蓮《はす》を、書斎の窓下には梅、木犀《もくせい》、玉蘭をそれぞれ植えて、表庭の崖《がけ》から滝が迸《ほとばし》っていた。

西山荘入口の白坂には、野桃を数百株植え、増井川に柴《しば》の橋をかけて桃源橋と名付けられてあった。また近くの山には鹿《しか》、鶴《つる》を放ち、庭の池には白鷺《しらさぎ》が飛来してくるような趣きに工夫させていた。

総兵衛は書院に通された。

「総兵衛、幸綱の死、無念であった」

「ご老公様のお心遣い、総兵衛、恐縮至極にございます。予《かね》てより父は宿病のために長生きは出来ぬことを承知していたと思えます。私が十一の折、父はいっしょに宇都宮に担《かつ》ぎ商いに出たのを始め、長崎への遊学で私に異国を学ばせ、さらに十三から十四歳の折には鳶沢村に逗留《とうりゅう》させて、祖伝夢想流の奥伝を継承者の鳶沢又兵衛により叩《たた》き込ませました。そのようにして私に武と商に生きる鳶沢一族の頭としての要件を取得させる道筋を立てたのちの死にございました。父がこの世に悔いを残すも残さぬも、これからの私次第にございましょう」

総兵衛は鳶沢一族の秘密の一端に触れながらも、光圀が五代目の死に際して書き送ってきた書状の礼を述べた。

「十八に相なったか」

「はい」

「三年か、身丈も大きくなり、大人の面構《つらがま》えと体になりよった。五代目は安心してあの世に旅立った、それは間違いないことよ」

低頭した総兵衛は、

「貞享五年の那珂湊《なかみなと》でのご老公様との出会い、偶《たま》さかのことと思うておりましたが、病を知った父は、私めをご老公様に引き合わせせんとあのような機会を作ったのではございませぬか」

「そなたがそう考えるなればそれでもよかろう。なんぞ不都合があるか」

「父はなにゆえご老公様と私めを引き合わせたのでございましょうか」

「今後のわれらの付き合いによってそなたにもおいおい分ってこよう」

「昨年十月、ご老公様は水戸徳川家の藩主を辞され、ご隠居なされました」

「いかにもさよう」

「それは政《まつりごと》から身を退《ひ》かれたと考えて宜《よろ》しゅうございますか」

「光圀とて先は長くはない。水戸藩政のことは綱條に任せた」

「未《いま》だご老公様が江戸の手綱を握っておられると考える方もおられます。それはまたどのような理由からにございましょうや」

「総兵衛、光圀を問い詰めにわざわざ西山荘に参ったか」

「私めとご老公様との向後の付き合いがかかっておりまする」

「そなたが表に出せぬ貌《かお》と光圀が持つ務めは、重なり合うと申しても得心できぬか」

「鳶沢一族がこと、ご老公様は父の口を通じてご存じのようでございますな」

総兵衛の問いに光圀は応《こた》えなかった。

「ご老公様は鳶沢一族の秘密をご承知とお見受けいたしまするが、私めは水戸徳川家のご隠居様がお命尽くるまで手放すことが叶わぬお務めとは如何《いか》なるものであるかを承知致しておりませぬ」

鳶沢一族が光圀と組めるかどうか、父の判断とは別の道もあると六代目総兵衛は言い切ったのだ。その険しい問いにしばし光圀は沈黙した。

ふうっ

と一つ息を吐いた光圀が言い出した。

「貞享四年三月のことよ。五代目総兵衛とそなたは、綱吉《つなよし》様の隠し子と称された少年が真の綱吉様のお種か、その真偽を詮議《せんぎ》するために上野館林《こうずけたてばやし》藩に入ったな。真言宗僧侶隆光《そうりょりゅうこう》と須磨《すま》の方が騙《かた》った上で、偽《にせ》の世継ぎ、鶴松君を用意したと確信したそなたら父子は、鶴松君と称していた少年を始末した」

四年前のことだ。よく覚えていた。

綱吉は、隆光を通じて隠し子鶴松君のことを幕閣に伝えていた。

隆光は慶安二年（一六四九）二月八日生れの大和国の旧家河辺氏の出自にて初名は河辺隆長、字《あざな》は栄春といった。

仏門には万治元年（一六五八）に入り、長谷寺《はせでら》、唐招提寺《とうしょうだいじ》で修学したのち、奈良の醍醐《だいご》寺で密教を修め、さらに儒学、老子、荘子を学んでいた。

貞享三年十月三日に江戸城黒書院で安鎮法を修し、また綱吉の命により将軍家の祈禱《きとう》寺たる筑波山《つくばさん》知足院の住職に任じられ、これを機に綱吉、その生母の桂昌院《けいしょういん》の寵愛《ちょうあい》を得た僧侶であった。

綱吉が上野館林藩の藩主時代に手をつけた奥女中の須磨の方の一子が真に綱吉の子であるか、影様よりその真偽を調べよという命が鳶沢一族に下った。

将軍家の跡継ぎに関わること、五代目総兵衛と勝頼は館林に走り、お須磨の方と隆光の出自と身辺を調べた後、偽の子と確信して暗殺し、闇《やみ》に葬《ほうむ》った。

それが総兵衛勝頼の初めての影始末であった。

ゆえに総兵衛は隆光についてはよく承知していた。

一瞬、総兵衛は光圀がこのことを知るということは、亡父が話したのかと考えた。だが、それはさすがにあり得ることではなかろうと思えた。

ならば天下の副将軍、御意見番と世間に謳《うた》われる光圀もまた鳶沢一族同様に、将軍と徳川一族に接近する者を調べる密偵組織を保持していることを意味せぬか。

「鳶沢一族は幕府の暗殺集団と申されますか」

「隆光をそのままに放置したことを咎《とが》めておる」

「それはまたどのような意にございましょうか」

鳶沢一族が影様の命で動くとき、徳川一族あるいは幕府を揺るがせる懸念《けねん》を最小限度に留《とど》めて始末する。あの折も鶴松をこの世から消し去ればそれで事が足りたと思われた。事実、影様からなんの注文もつくことはなかった。それがただ今、光圀が影様に成り代わって注文をつけていた。

「話を数年戻す。綱吉様にはご息女鶴姫様と、御自身がお出になられた館林藩をお継がせになっていたご子息徳松君の一男一女がおられた。そのことは承知じゃな」

総兵衛は頷《うなず》いた。

「天和三年（一六八三）閏《うるう》五月、徳松君は五歳で病に斃《たお》れられた。その翌年の貞享元年に綱吉様にお世継ぎがないのは生き物を大事にせぬからじゃと、綱吉様御母堂の桂昌院様と隆光権僧正《ごんのそうじょう》が『生類憐《しょうるいあわれ》みの令』を綱吉様に進言した。隆光の魂胆は、綱吉様の隠し子鶴松なる九歳の少年を綱吉様のお世継ぎに就けることであったと思えた。だが、貞享四年三月に鳶沢一族が気づき、上野館林に走り、鶴松なる少年は偽の跡継ぎと断じて暗殺した」

光圀は総兵衛が経験した秘密を繰り返した。

「なぜ、あの折、鶴松のみならず隆光も始末しておかなんだ」

しばし間を置いた光圀が総兵衛を睨《にら》み、再び詰《なじ》った。

「ご老公様のお咎めにはこの総兵衛、なんとも答えられませぬ」

光圀が総兵衛を炯々《けいけい》たる眼光で睨んだ。

十八歳の総兵衛も負けじと、光圀の視線を睨み返し外すことはなかった。

鳶沢一族と連携する影様のことを光圀が知っているかどうかは、一族の存亡にかかわることだった。

六十四歳と十八歳の睨み合いは長く続いた。苦笑いした光圀が先に視線を外し、

「三年まえよりいっそうふてぶてしゅうなったのう」

という言葉で決着がついた。

「隆光権僧正にご老公様はご懸念を持たれますか」

「大いなる懸念がある。綱吉様のご生母桂昌院様の隆光ご寵愛が過ぎる、隆光もまた仏に仕える身でありながら政《まつりごと》に執念を燃やし過ぎる。『生類憐みの令』

を見るまでもなく、幕政の中核にまで桂昌院様の指図が、いや、隆光の考えが齎《もたら》されるのはよいことではない。幕府百年の計を考えたとき、二人の考えに綱吉様が耳を傾けられるのは害こそあれなんの益にもならぬ」

「御三家の一、水戸徳川のお役目をお聞きしとうございます」

「御三家の筆頭は尾張徳川である、また紀伊徳川がその次に位置する。水戸は、禄高においても官位においても二家の下風に甘んじてきた」

「その代わり、定府の大名という特権を有しておられます。それは万が一の場合など将軍家がお迷いなされた折に忠言を素早くなされる対応がため」

「いかにもさよう」

「さりながら、その決まりを忘れた綱吉様は水戸様よりご生母様とその傍らに控える隆光権僧正の意見を大事になさっておられる」

「徳松君が身罷られたあと、綱吉様の跡継ぎは決まっておらぬ」

「跡継ぎ選びに二人の意向を差し挟ませたくないとご老公様は考えておられるのでございますか」

「綱條が水戸家の三代藩主に就いたが、綱條には将軍家意見番の役目は務まるまい。予の代でそのことは終った」

光圀が言い切った。

「先のことだ。側衆牧野成貞《なりさだ》が三家列座の城中で、突然『将軍家には未だ若君お誕生のことなきゆえご養子の件につきご相談致したし』と言い出しおった。予は即座に上意かと問い返した。成貞は御上意ではのうて、己一存の了見と答えおった。そこで成貞に言うた。

綱吉様は未だお齢《とし》もお若い、この先若君お誕生の可能性は残されておる。またそれが叶わず、ご養子を迎えることになるとしても、甲府には綱豊が、尾張名古屋には綱誠《つなのぶ》が、さらには紀伊和歌山に綱教《つなのり》がおり、それがだめと申すならば、水戸に綱條がおる。ご世子なき折のためにこそ御三家があることを思い出させた。さらに、なにより、そのようなことを談議するのは時期尚早であると予は牧野成貞の意見を退けた。予がなぜ綱豊を第一に考えたか分かるか、総兵衛」

「先の四代様の家綱様の跡継ぎはご次弟の綱重様が襲受《しゅうじゅ》することが決まっておりました。ですが、延宝六年（一六七八）に三十五の折、逝去《せいきょ》なされた。そこで綱重様の弟君であった綱吉様が五代様に就かれました。となれば、ご老公様は、綱吉様の次は、綱重様のご長男綱豊様でなければならぬと考えられた。ご老公様、この推量、間違《まちご》うておりまするか」

得心したように何度か首肯した光圀が、

「徳松君がご存命の折、綱吉様のご内意として三家に、徳松君を世子にしたいと伝えられたこともあった。予は異議を唱え、綱豊を養君にし、その綱豊の養君に徳松君をなして次々代に備えられよと諫言《かんげん》したが、綱吉様は聞き入れられなかった。だが、このことは徳松君の夭折《ようせつ》で沙汰《さた》やみになった経緯がある。総兵衛、徳川一族の頭領を決するには、『人倫の大義』に則《のっと》らねばならぬ。綱吉様は、桂昌院様やら隆光なる生臭坊主《ぼうず》の考えに惑わされておられる」

徳川一門の長老、水戸光圀以外に綱吉にかような諫言忠言を申し上げる人物はいなかった。それだけに光圀の言動は綱吉にとって煩《わずら》わしいものであったろう。

「館林で隆光を葬っておれば、さような懸念は生じなかったと申されますか」

「いかにもさよう。亡き五代目と十四歳のそなたが鶴松なる少年を始末したのは、徳川に仕える者として当然の使命であった。だが、その後の禍《わざわ》いのタネを摘み残した」

「ご老公様はわれらにどうせよと申されますか」

「親父どのが摘み残した禍いのタネはそなたの手で刈り取らねばならぬ」

「水戸光圀様のお言葉とはいえ、われら一族、軽々に動くわけにはいきませぬ」

「百年の禍根を残してよいのか、総兵衛」

「しばし考えさせて下されますよう」

　と総兵衛は返答した。

「予の寿命はあと五年か六年、畢生《ひっせい》の本朝の史記は存命のうちに完成することはない。ゆえにし残したことを一つ二つし遂げて身罷りたい」

　光圀が微妙に話の展開を変えた。

「隆光は、綱吉様が戌年《いぬどし》生まれゆえ、生類、とくに犬を大事になされますようにと忠言したそうな。それを綱吉様はお聞き入れになり、生類を過剰に憐れまれ、無実の者を罪に落とすことすら、良しとしておられる。これは人倫の道に反する考えじゃ。そうは思わぬか」

総兵衛は黙したまま頷いた。

「予が存命中に隆光の始末をつける」

なんと六十を過ぎた光圀が敢然と宣告した。

総兵衛が視線を光圀に向けると、頷き返した光圀が、

「予が討ちもらして身罷ったならば、総兵衛、そなたに後始末を頼む」

と改めて願った。

「亡き父も承知していたことにございますか」

総兵衛はふと思った。

十一の折、亡父と宇都宮に荷馬に四十貫の古着を積み、背にも担いで商いに出たがあれは古着商いがなんたるかを倅《せがれ》に教えるだけの旅であったのだろうか。

ひょっとしたら、父には他の用事があったのではないか。そして、父と光圀は総兵衛が考える以上に古い付き合いだったのではないか。

「死者の口を借りるは卑怯《ひきょう》千万かと思う。じゃが、そう考えて不都合はない。総兵衛、亡父は亡父、そなたはそなたというなれば、光圀、そなたの意思を尊

重いたそう」

「今一度同じ言葉を重ねます。しばし考える時を頂戴《ちょうだい》しとうございます」

「よかろう。予が仕損じた折の二の手が鳶沢勝頼よ、未だ思案する日限はある」

「相分かりましてございます」

総兵衛の返答に得心したか、光圀の顔の表情が和んだ。そして、不意に言った。

「総兵衛、能を教えて遣わす」

「貞享五年の初対面の折、水戸城にて能の手合せを命じられました」

「あれはあれで一興であった。だがな、剣の舞は剣呑《けんのん》でいかぬ。総兵衛、予が能とはどういうものか、そなたに指南いたす」

「この西山荘に能舞台をお造りになられましたか」

「いや、野舞台じゃ、しばし西山荘に逗留せよ。そなたの父がことなど語り合おうか」

総兵衛はこの折、十日余り西山荘に滞在して能三昧《ざんまい》の日々を過ごした。

二

元禄十三年（一七〇〇）十二月十一日。

総兵衛ら三人は替え馬を繰り返しながら、水戸城下までの三十里を走り通していた。

総兵衛、信之助、又三郎の三人が交代で先頭を走り、後に続く二人を誘導した。先頭に立つ者は、水戸街道の脇道を選び、ひたすら前進し、残りの二人は手綱を摑《つか》み、鞍《くら》にしがみついてわずかな間眠った。

裏道をいくために水戸街道を行くより三、四割ほど長い距離を走ることになった。それでも早馬が江戸小石川藩邸と水戸城下の間を頻繁に往来する水戸街道よりも差し障《さわ》りがなく、夜間も進むことが出来た。

十日じゅう昼夜を分かたず走り、十一日の夜明け前に常陸国総社宮を過ぎて、片倉宿に到着していた。次の宿、小幡まで一里と五丁で、そこには水戸藩主の泊まる御殿があった。

「水戸まで五里（約二〇キロ）少々、裏道を行ったとして六里から七里にございます、水戸から西山荘のある新宿村までさらに五里ほど、もはや間違いなく今日じゅうに水戸を経て西山荘に辿り着きましょう」

と総兵衛に告げる信之助の声に疲れがあった。

「次の宿は藩主御殿のある小幡宿であったな」

「いかにもさようです」

「信之助、又三郎、どこぞに百姓家を見付けて一刻半《ときはん》（三時間）ほど仮眠を願おうか」

「それがようございます」

すでに納棺の儀は終っているのだ。埋葬の儀の十二日までには西山荘への到着が確実となっていた。

「私めが捜して参ります。この辻《つじ》にてお待ち下され」

又三郎が馬から下りると、手綱を信之助に渡し、最初に眼に止まった長屋門を目当てに走り出した。

炊煙が上がっているところを見ると、すでに家人は起きているようだった。

総兵衛も信之助も馬を下りて待った。しばらくすると長屋門から又三郎が手を振り、その傍らに一人の老爺《ろうや》が立ってこちらを見ていた。総兵衛と信之助が三頭の馬を引いて長屋門に向うと、

「片倉宿の名主どのの家でございました。私どもが江戸の大黒屋だと知り、またご老公の弔いに駆け付けると聞いて、快く仮眠の寝所を貸してくれるそうでございます」

又三郎の報告に総兵衛が、

「ご老人、有り難いことにございます、私がこの者の主《あるじ》の大黒屋総兵衛にございます」

「富沢町の惣代さんにございますな。ご老公がお亡くなりになったという噂《うわさ》はこの界隈《かいわい》にも伝わってきました。江戸よりわざわざお弔いに参られるとは、ご老公とよほどお付き合いがございましたかな」

「江戸の古着屋風情《ふぜい》が水戸のご老公とお付き合いなどあるわけもなし。水戸光圀様のお人柄を勝手にお慕い申しておりますゆえ、せめてお別れの端にと思う

たまでのことでございますよ」

「それは奇特なことにございます。江戸からでは馬でもお疲れでしょう」

「江戸から一気に来ましたがいかにも人も馬も疲れが生じております。仮眠ができれば元気を取りもどして今日じゅうにご老公のもとへ駆け付けることができます」

と総兵衛が感謝の意を伝えると老爺は奉公人を呼んで、

「馬をまず休ませよ」

と命じ、奉公人に総兵衛らの馬の世話をさせると答えた。有難くその厚意を受けると、総兵衛らは寝所に座敷を用意され、倒れ込むように眠りに就いた。

一刻半後に総兵衛が目覚めると、信之助も又三郎もすでに起きていて、

「この家では湯を沸かした上に朝餉の仕度をしてくれております」

「なんと思いがけない造作《ぞうさ》に与《あずか》ることになったな。信之助、存分にお礼を渡して下されよ」

三人は心づくしの湯に入り、山菜を炊《た》き込んだ粥《かゆ》に生卵をかけた御膳《ごぜん》を馳走《ちそう》になって鋭気を回復した。

体を休め、餌《えさ》をもらった馬に乗り、まずは水戸城下を目指した。

一行が水戸城下を経て、さらに五里余り北にあたる新宿村西山荘に辿り着いたのは十一日深夜のことであった。

一行は西山荘を訪ねると不測の事態に備えて若侍が不寝番をしていた。総兵衛が名乗ると安積澹泊が待ちかねていたように玄関先に迎えに出てきた。

光圀の骸《むくろ》との対面が許されたのは総兵衛一人だけで、その場に同席したのは安積澹泊だった。

棺《ひつぎ》の蓋《ふた》がとられると総兵衛が知る光圀より一回り小さくなった胸に護《まも》り刀が置かれ、顔には白布がかけられていた。

「ご老公、江戸より大黒屋総兵衛どのが駆け付けましたぞ」

安積が白布を剥《は》ぎながら呼びかけた。

総兵衛は合掌し、瞑目《めいもく》すると長いこと無言の対話をなしたあと、両眼を見開いた。

棺の光圀の顔には緊張に緊張が重ねて刷《は》かれているように思えた。

七十三年の生涯は波乱万丈のものだった。

戦い終えた戦士に和みの表情はないのか。

総兵衛はその場に平伏し、じいっ、と光圀の顔を見た。

江戸からの厳しい道中に心身が疲労困憊《こんぱい》していた。そのせいか、もはやこの世の人ではない光圀との対面がどことなく現実のものとは思えなかった。

「亡くなられる前日の五日、夜の四つ（十時頃）過ぎのことか。お起坐《きざ》なされたご老公が御手を弱々しく拱《こまね》かれたかと思うと、その手をまた下げられた。休まれますかと問うたが、顔を横に振られて少しもおくつろぎの様子なく、またすぐに体を動かされようとなさり、落ち着きない様子にござった。またお口がお渇き申されるようで白湯《さゆ》をお上げしたところ、二口ほど茶碗《ちゃわん》に口をつけられたが、嚥下《えんげ》するお力がもはや失われておられたのか白湯がお口のわきから胸へとしたたり落ちた。さらに御手を差し出されて、お鼻を指されるゆえ、お鼻づまりかと心得、女官の左近がお取り差し上げたところ、少しばかり落ち着きなされた。それを機にな、ご老公のお息がだんだんと細くなられ、その夜はなんとか耐え忍ばれたものの、六日の夜明け前に卒然とご逝去なされたのだ」

説明する安積は、必死に嗚咽《おえつ》を堪《こら》えていたがついに拳《こぶし》で涙を拭《ぬぐ》った。

総兵衛はただひたすら光圀の顔を見守っていると、安積の声が遠い果てへと消えていった。

いつの間にか安積の静かな嗚咽だけがその場を支配し、不意に光圀の声が総兵衛の耳の奥に響いた。

（総兵衛勝頼、別れじゃ）

（七十三年のご生涯、ご苦労に存じ奉《たてまつ》ります）

（やり残したものがある）

（ご家来にお任せなされませ）

（本朝史記刊行がごときは予の死後も続けられるように仕度は整えてある）

（人はだれしも何かをやり残してあの世に旅立つものにござりましょう）

（この光圀、死んでも死に切れぬ。いささかこの世に未練がある）

（すべては残りし者たちにお任せなされますよう）

（わが家臣に任せきれぬ大事が一つ二つある）

（江戸がこと、政《まつりごと》にございますな。ご老公様、ご放念してお旅立ち下され）

総兵衛の重ねての言葉にしばし沈黙があった。

（総兵衛）

しばしの沈黙のあと、光圀が言葉を吐きだした。

（すべて書状に認《したた》め残した。このままでは死に切れぬ）

総兵衛は長い沈黙のあと、胸中に思念を宿らせた。

（ご老公様の今一つのご懸念、総兵衛が推量申し上げまする。寛永十年二月二十八日、誕生して三十年を経た徳川幕府は和人の渡航を禁じ、異国との交易も制限して国を閉ざす鎖国政策に着手なされました。国が閉ざされた結果、異国の情報も新たなる技術も、狭き窓の長崎を除いて和国に伝わることは至難なこととなり申しました。以来六十七年余の歳月が流れ、和国は異国から大きな後れをとっておりまする。そのことに幕府は未だに気付いてはおられませぬ。ご老公様はいつの日か夷狄《いてき》がこの地に攻め来たることを懸念しておられるのでござりましょう）

総兵衛の思念が伝わったか、光圀の青白く硬直した皺顔《しわがお》にようやく笑みが広がったように思えた。

「おおおっ」

　安積が驚きの声を上げた。

「ようようご老公はただ今黄泉《よみ》へとお旅立ちなされた。総兵衛どの、そなたと会《お》うて安心なされたのだ」

　総兵衛が首肯すると、安積は傍らの文机《ふづくえ》の文箱《ふばこ》から一通の書状を取り出し、

「ご老公のそなたに宛《あ》てたご遺書である。このこと、わししか知らぬ密書である」

　とわざわざ注意して差し出した。

　総兵衛は両手で光圀の書状を拝受した。

　その途端、総兵衛の両肩にぐぐっと重いものが伸《の》し掛かった。

　ふっふっふふ
　どこからともなく光圀の笑い声が漏れてきて、二人が光圀の顔を見ると、最前まで和んでいた顔が、老残の骸と化していた。

（光圀様の御魂《みたま》も安心なされてお行きなされ）

　もはや物と化した光圀の骸はなんの言葉も返してこなかった。

「矢口為三郎《ためさぶろう》が富沢町を訪ねたのはいつのことであったか」

「九日の深夜にございました。われら、その夜のうちに江戸を立ち、十日十一日と馬を乗り継いでこちらに駆け付けました」

「矢口為三郎は七日のうちに発《た》たせた。九日の深夜に到着したのであれば、道中なにもなかったということであろう」

「安積様、矢口様は尾行の者をうちまで連れてこられた気配がございました」

しばし考えていた安積が、

「総兵衛どの、矢口が水戸から尾行者を連れて行ったと考えるより、ご老公がご危篤《きとく》に落ちたときから富沢町のそなたの店が見張られていたとは考えられぬか」

「ご老公のご逝去の直後、西山荘を発った矢口様がどこに参られるか、知ろうとしたご仁がおられると思うておりましたが」

と反問しながらも総兵衛は安積の考えにも一理あると思った。

「そなたらの道中に異変はなかったか」

「尾行の者がわれらにも」

「ついたか」

「最前も申しましたが馬を乗り継いでの急ぎの水戸行にございますれば、尾行者もいささか難儀したことにございましょう。ただ私どもの行き先はこの西山荘ともとより目星がついておりますゆえ、なんぞ異変が起るとすれば、今後のことでございましょう」

総兵衛の言葉に頷いた安積が、

「寝所を山荘内の一室に用意させてある。総兵衛どの、少し休め」

と労《ねぎら》った。

「しばらくご老公のお傍に控えさせて頂けませぬか」

安積が疲労しきった顔を総兵衛に向け、頷いた。

「ならばご老公との別れの宴、二人だけで催すか」

「さようなことが許されましょうか」

「そなたなればお喜びになろう」

安積が応じると、だれぞ酒《ささ》を持て、と命じた。すると女中衆が膳を運んできて、黙って二人の前に置いた。

徳利《とっくり》は一本、盃《さかずき》は三つあった。無言で女中衆が去ると安積が徳利を手にし、総兵衛が一つ目の盃を手にして酒を受けた。

「光圀様、お別れの酒にございます」

総兵衛が棺の傍らに捧《ささ》げた。

二つ目の盃も総兵衛が受け、膝《ひざ》の前にいったん置くと、安積の徳利を受け取り、三つ目の盃を手にした安積の酒を満たした。

「水戸光圀様、ご冥福《めいふく》をお祈り申し上げます」

総兵衛が洩《も》らし、安積と二人してゆっくりと酒を口に含んだ。

「そなたが初めてご老公と会《お》うたは貞享五年、快風丸の最後の蝦夷地探検出立の日であったな」

「いかにもさようでございました」

「以来、ご老公と幾たびお会いした」

「さあて幾たびになりましょうか」

光圀のすべてを知るはずの安積だが、光圀と総兵衛の対面のすべてを承知しているわけではなかった。

「西山荘にお移りになられた元禄四年が二度目のご対面にございました」

と総兵衛は答えただけだ。

「あの折、野舞台でご老公は十八歳のそなたに能を楽しげに教えておられた」

「三昧境とはあのような日々にございましょうな。なにも考えずひたすら能に没頭致しました」

「ご老公はあのあと、鳶沢一族に伝わる祖伝夢想流の動きと能の所作と間は真《まこと》に似通うておると感心なされ、総兵衛が覚えのよいこともむべなるかなと、そなたをお褒めになった」

「安積様、わが父はご老公の能を見物させてもらった、その時が初めてお目どおりが叶《かな》った日であったと私に常々申しておりました。ですが、父とご老公の間柄、もそっと古い付き合いであったのではございませぬか」

「もはやお二人ともこの世にはおられぬ。話したところで差し障りはあるまい。わしがご老公の口から大黒屋総兵衛の名を初めて聞いたのは、わしが大番組二百石に任じられた前後、まだ彦六と呼ばれていた延宝年間のことであった」

「私が生まれた頃のことにございましたか。それで得心がいくこともございます」

なにか、という顔で安積が総兵衛を見た。

「いえ、快風丸出船を見物にいくように父は私に仕向け、光圀様との面会の機を那珂湊で作ったということでございましょう」

その言葉に安積が頷いた。

安積澹泊について触れておこう。

生まれは明暦二年（一六五六）十一月十三日ゆえ総兵衛より十八年上であった。諱《いみな》は覚、幼名は彦六、通称覚兵衛、号を澹泊という。

祖父は小笠原家に仕えていたが、水戸初代徳川頼房に禄高四百石で召し抱えられた。父の貞吉は蒲柳《ほりゅう》の質ゆえ、禄を返上して寄合組に入った。貞吉は儒学を好み、詩文をよくこなし、希斎と号した人物だ。

澹泊が儒学者の道を進んだのには貞吉の影響があった。

寛文五年（一六六五）、彦六が十歳のとき、光圀が朱舜水《しゅしゅんすい》を伴い、水戸に帰国した折、貞吉は光圀に願って彦六を朱舜水の下に入門させた。以来、水戸、江戸を往来しながら、朱舜水の下で学び、

「日本に渡来して句読を授けた者数多《あまた》ありしが、よくこれを暗記し理解したのは彦六だけ」

と師に言わしめたほどの俊才であった。

光圀も彦六の向学心を認め、人柄を愛して金三両を図書の費えにとして与えたこともあった。

貞吉の死後、大番組、小納戸《こなんど》役《やく》と水戸家家臣として奉公したが、天和三年（一六八三）、二十八歳の折、彰考館入りして修史編纂《へんさん》の役に任じられ、儒学者として文官の道を歩み始めた。

貞享五年、那珂湊で総兵衛が出会った安積澹泊は三十三歳であった。

いつのころからか澹泊は光圀の江戸城中での政の裏方を務めてきた。そして、それは光圀の最期《さいご》の別れまで続いた。

「ご老公と父はなんぞ密契がございましたか」

「さあてな、それはご老公とそなたの間にも言えよう。じゃが、総兵衛どの、ご老公が身罷られたことで大黒屋、いや、鳶沢《とびさわ》一族との関わりは終った。もはや綱條様には無縁なことである」

安積が釘《くぎ》を刺した。

「いかにもさようと心得ます」

「寂しゅうはないか」

「こうしてご老公のご遺骸の傍らで安積様と酒を酌《く》み交わしておりますうちは寂しさも募りますまい。なれどお棺の蓋を覆《おお》い、土中に埋葬される明日から数日経た折に、虚《うつ》ろな気持に見舞われましょうな。これは私などより主従として長い年月のお付き合いを経られた安積様のほうがよほど辛《つら》い日々を経験されることになりましょう」

「総兵衛どの、わしには、業半ばの本朝の史記編纂という大仕事が残されておる。ご老公のおられぬ日々を彰考館総裁の務めと編纂に没頭して過ごすつもりじゃ」

総兵衛には、懐《ふところ》にある書状が光圀のやり残した仕事の継続を強制していた。

だが、安積のように口にできる仕事でなかった。

光圀は死の十年前、元禄三年（一六九〇）十月十四日、家督を養嗣子綱條に譲り、隠居した。その翌年の元禄四年に総兵衛は、父の死を報告する名目で西山荘を訪問したのだ。

以後、元禄七年のあの騒動が起きるまでの三年間、総兵衛は光圀と水戸家の小梅村別邸や那珂湊などで何度か密会していた。その場を設ける仕事は安積がなしたが二人の談議の場に同席することはなかった。

総兵衛と光圀だけが知る話だった。それは亡父の五代目総兵衛幸綱がそうであったように、墓場まで持っていかねばならぬ秘密であった。

「総兵衛どの、わしは、光圀様のお傍に長くあったゆえに、むろん政の場にも立ち合うた。だが、わしに向いたのは文業でな、とうとう最期の刻まで政には疎《うと》かった。ゆえにご老公の晩年の十年のご懸念を推察することしかできぬ。なぜご老公は綱吉様をお認めなさろうとはしなかったのか、また元禄七年に綱吉様の命を受け出府なされたご老公が、なぜ水戸家の大老藤井紋太夫《もんだゆう》様を刺殺なされたか、それらの真相を知らず生きて参った。謎《なぞ》めいたいくつかの出来事のどれがご老公のご懸念であったか、推量もできぬ」

安積が問わず語りに洩らした。

だが、総兵衛は応える術《すべ》を知らなかった。いや、許されていなかった。死した光圀が総兵衛に遺《のこ》した使命とはなにか、すでに総兵衛には推測がついていた。その名を初めて光圀の口からきいたのは、元禄六年春先のことではなかったか。

幕府から水戸藩は小梅村に拝領地を賜り、その屋敷において船で密かに出府してきた光圀と総兵衛は出会いを重ねた。

父と同じ道を辿り光圀と親しく交わることは、鳶沢一族の使命の本義に反するのではないかという疑いを総兵衛は常に胸に抱いていた。

その一方で、光圀の直情径行と見えるまでの、

「徳川大事」

の考えに惹《ひ》かれてもいた。

三

「そなた、母御の顔を承知していまいな」

と不意に安積が総兵衛に問うた。

「安積様は、わが母をご承知にございますか」

総兵衛の驚きの言葉に安積が静かに頷き、光圀の死顔《しにがお》を見た。

「鳶沢一族を率いる頭領は一族の血筋より嫁をとるという決まりがある」

「そのことも安積様はご承知でございましたか」

「そなたの母、お萌《もえ》様は小石川の藩邸にて、一時《いっとき》ご老公のお傍に仕えた女中であった。実家は水戸家に仕える儒者の家系、もはや姓を口にするのは遠慮しておこう」

安積とは同門の血筋というのだ。

「な、なんと」

「なんとも見目麗《うるわ》しく聡明《そうめい》な女子《おなご》であった。われらはお萌様を真正面から見るなどできなかった。近くにおられるときは視線を外しておった。それほどの美《び》貌《ぼう》の主で寡黙《かもく》な女性《にょしょう》でもあった」

思わぬ安積の告白に総兵衛は内心動揺していた。

「お萌様が懐妊されたとき、そなたの親父様は駿府鳶沢村にお萌様を送り、そなたを生ませた」

「母は産褥《さんじょく》で亡くなったと父より聞かされてきました」

「わしもそう聞かされておる。はっきりとしたことはそなたが幼くして富沢町に連れて来られ、六代目として育てられたことだけだ」

「光圀様が承知して父と母を密かに娶《めあわ》せたということでございますか」

「ご老公の許しなくばそのようなことができようか」

「父は、鳶沢一族の決まりに背いて母と契《ちぎ》りを結んだのでございますな」

「そして、そなたが生まれた」

総兵衛は白布に覆われた光圀を見た。

「光圀様の生い立ちをそなた、承知か」

「頼房様の三男としてお生まれになったと承知しております。母御様は側室のお一人であったはず」

「藩主のお子たる光圀様は家臣三木家の屋敷でお生まれになった。それは側室久子様が懐妊されたとき、頼房様は、『故《ゆえ》有て水になし申候《そうろう》様に』と誕生を拒まれておられた。だが、三木様は久子様を不憫《ふびん》に思われ、頼房様の命に反し、密かに出産を助けたのだ。光圀様がそなたの親父様とお萌様の子を、鳶沢一族の決まりに反してまで生ませたのは、自らの出生の事情と重なり合うたからと思われる。光圀様は、お萌様を自らの養女として鳶沢村に送られたのだ、総兵衛どの」

「わが母は光圀様の養女にございましたか」

総兵衛は水戸光圀と鳶沢総兵衛幸綱との結び付きを漠然と考えてきたが、それは総兵衛が考える以上に緊密にして深いものであった。

「そなたは光圀様と血のつながりはない。だが、孫にあたるのだ」

「孫らしき扱いを受けた覚えはございませんが」

「そなたは水戸光圀様と二人だけの秘密を共有した、それ以上の扱いがあろうか。そうは思わぬか」

「勝手な爺様《じじさま》にございましたな。父はご老公の遣い走りであったのでしょうか」

「それは鳶沢一族の長に就いたそなたがだれよりも承知であろう」

と安積が応じると、

「酒が温《ぬる》くなった、熱燗《あつかん》を運ばせようか」

「いえ、温んだ酒もまたこの爺様のご供養《くよう》に相応《ふさわ》しいかと存じます」

総兵衛の盃を安積が満たし、総兵衛が安積の酒器に注《つ》いだ。

温くなった酒を二人はしみじみと飲んだ。

「かようなことを申すのは家臣の分を超えていよう。じゃが、かような場でしか本心では話せぬ。殿は幕府の弔使を迎えに水戸に行かれ、西山荘はご老公が心を開かれた家来だけの最後の夜じゃあ」

と安積が呟《つぶや》き、

「そなたの懐の書状じゃが、後段になるとお手も震え、字も乱れておるであろう。ひょっとしたら読み解くことのできぬ個所もあるやも知れぬ。もはや頭脳明晰《めいせき》な光圀様ではなかった。その是非は鳶沢勝頼どの自らが判断すべきかと存ずる」

「承知仕《つかまつ》りました」

総兵衛は盃に残った酒をぐいっと飲み干し、貞享五年水戸城下に逗留した一夜、父が子に、一族の不文律を踏みにじってまでも生きる道はあると告げたのは、自らの境遇があったからだと気付かされた。そして、それは不幸な道につながるやも知れぬと警告もしていた。

総兵衛は、美しい花を咲かせようとしている千鶴の面影を脳裏に浮かべた。一族のために千鶴を諦《あきら》めるか、千鶴との暮らしを立て、鳶沢一族から抜けるか。

総兵衛はずっと後年その父の言葉に込められた真意を思い知ることになる。だが、今はただ亡父と同じ道を辿ろうとしているのか、己の行く末を案じただけだった。そして、千鶴がことを……。

「そなたが藤井紋太夫様の名を承知したのはいつのことか」

安積澹泊は分を超えて秘密に触れてきた。

光圀の死と疲労困憊がそのような口を開かせたか。かような機会は最初で最後、光圀の骸がこの世に在るときしかない、と総兵衛は考えていた。

「安積様が彰考館の総裁になられた元禄六年のことにございました。幕府から小梅屋敷を拝領したとき、ご老公が密《ひそ》かに小梅屋敷を船で訪れ、しばし滞在なされました」

「わしは知らぬ」

「はい。いつものような安積様を通しての連絡《つなぎ》ではございませんでした。その折、ご老公が総兵衛、私用じゃ。わしの頼みを聞いてくれぬかと藤井徳昭《のりあき》様の名を上げて申されました」

「なにを頼まれたのであろうか」

「藤井様の身辺を探ってくれぬかと」

「ご老公にとって忠義の臣であった藤井様に不審を感じておられたか」

「最初は確たる不審ではなかったでしょう」

「だが、そなたの調べではっきりとしてきた」

「水戸藩にとって二代目光圀様のご隠居そのものが内紛を秘めておりました。江戸の将軍家に意見を述べられるのは御三家の中で光圀様だけでございましたな。その光圀様のご隠居で急に江戸城中の権力争いも新たに生じ、水戸家ではその分不安を感じておられたのではございませぬか」

安積が大きく首肯し、

「やはり藤井様刺殺は、綿密な企てと仕度があってのことか」

と嘆息し、総兵衛は頷き返した。

藤井紋太夫こと徳昭は、光圀の藩主時代、光圀の腹心であった。

藤井は幕臣荒尾久成の子息であったが、荒尾家の親族で水戸家に仕えていた老女藤井の養子になって藤井姓を名乗り、小姓として光圀に仕えるようになった。

以後、光圀の信頼を得て、延宝六年（一六七八）十一月、小姓頭に出世し、天和元年（一六八一）一月には書院番頭と水戸家中老を兼ねるようになり、貞享四年（一六八七）三月には中老のまま、大番頭に転じた。そして、元禄六年（一六九三）六月十八日には、肥田《ひだ》政大《まさひろ》、伊藤友親《ともちか》とともに大老に昇りつめた。同時に彰考館の庶務もつかさどっていた。

「ご老公は藤井紋太夫様にどのような不審を抱かれたのであろうか」

安積がさらに踏み込んだ問いを投げかけた。

総兵衛は手の盃の冷めた酒を舐《な》め、舌を潤《うるお》した。

「あのころ、『生類憐みの令』がいちだんと厳しさを増し、陸奥《むつ》一円を大飢饉《だいききん》が襲うておりました。ご老公が綱吉様に献上品として犬の皮を贈られたのはそのころのことではございませんでしたか。あるいは領内の百姓が光圀公の寵愛されていた鶴《つる》を打ち殺したのをお怒りになり、いったんは自ら斬首《ざんしゅ》と刀を振り上げられたにも拘《かか》わらず、この者を殺したとて鶴は戻ってこぬと仕置きを取り止《や》め、放免なされた。この二つの事実は明らかに綱吉様の触れ、『生類憐みの令』への反論、『禽獣《きんじゅう》ゆえに人を殺し候こと、しかるべからず』という光圀様のお考えがあってのことでございましたな」

「われら家臣一同、そのことを知り、御三家といえども厳しい沙汰があろうと覚悟致した、光圀様には及ばずとも当代の綱條様の謹慎も考えられた。だが、光圀様の世間に知れ渡った盛名が綱吉様に沈黙を強いたのであろう。それだけに綱吉様のご老公憎しの想《おも》いは深く胸に刻み込まれたと思われる」

総兵衛は頷《うなず》いた。

「わしは、水戸藩士ながら文業の徒として政から身を遠ざけておった。にも拘らず、光圀様が隠居なされて綱條様が三代藩主に就かれたころ、そなたが最前申したように藩内では箍《たが》が外れた桶《おけ》のように綱條様の政治手腕を憂《うれ》え、案じる者たちが徒党を組み、後見方がだれになるのか注視していた時期があった。さような中での犬皮献上、鶴を打ち殺した百姓の放免であった。世間は、さすがはご老公よ、とやんやの喝采《かっさい》を送った」

「ですが一方、水戸家では綱吉様のご心中を思えば、戦々恐々とした空気が漂っていたのではありませぬか」

総兵衛の問いに安積が頷き、

「藤井紋太夫様は、元来光圀様の信頼厚き臣にて、利発にして弁舌すぐれ、博識にして万巻の書籍に通暁《つうぎょう》し、われら文士と異なり、是非を決断するに敏速な人物であった。ゆえに大老としてそのたびの件についても小石川江戸藩邸内の不安を一掃してくれるものと思われた」

「私が小梅村に呼ばれ、木の香や土の匂《にお》いがする茶室で面談した折、ご老公は、自ら茶を点《た》てられ、私に供しながら最前の言葉を呟かれました」

「わしの頼みを聞いてくれと、藤井紋太夫様の名を上げて身辺を探ってくれと頼まれたのじゃな」

と安積が念を押した。

「はい」

「隠居なされたとは申せ、江戸藩邸に光圀様を敬愛する家臣がいなかったわけではない。にも拘らず、大黒屋総兵衛どの、いや、この場合、鳶沢勝頼どのに頼まれたとはなぜであろうか」

安積は答えを胸中に秘めて念を押すように問うた。

「私が推量致しまするに光圀様のご隠居後、諸々《もろもろ》の思惑が錯綜《さくそう》する藩邸内でだれを信頼すべきか、綱條様にとってだれが忠義の臣か摑み兼ね、私ごときに頼まれたのではございますまいか」

「鳶沢一族の徳川家への忠誠の揺がぬことを、光圀様は一度ならずわしに聞かせるともつかぬ口調で洩らしておられた。ゆえに難題をそなた方に託したのであろう。それにしても藩邸内の探索は、鳶沢一族とていささか難儀であったのではないか」

「水戸家の内情に関するお調べです。私と限られた腹心の三人のみでその探索に当たりました」

「そなたら、藩邸内に潜入したか」

「女を入れました」

「なに、女とな」

安積が意表を突かれたか、いささか驚きの籠《こも》った声で問い返し、総兵衛が首肯した。

「仕込みに数か月を要しましたが、奥向きの女中と下女を一人ずつ、小石川藩邸に奉公させました。ゆえに屋敷内の動きはある程度、見えてきました。それらの探索の結果をすべて水戸のご老公のもとにお報《しら》せ申しました。私どもの小石川藩邸の探索は、翌年の元禄七年三月、隠居された光圀様を綱吉様が江戸にお呼び出しになった時期まで続きました」

「そのころに二人の女密偵の奉公を辞めさせたというか」

「はい」

奥向きの女中として水戸家に一時奉公したのはおいちであった。おいちはむろん鳶沢一族の者であり、後に富沢町の大黒屋の奥向き女中として腕を振うことになるおきぬの従姉《いとこ》であった。

また下女として藩邸の台所で働いたのはみつであった。

みつは無事に富沢町に戻ってきたが、おいちは暇をとるはずの数日前に屋敷内で行方を絶ち、富沢町に姿を見せることはなかった。

鳶沢一族でも口入屋を通して問い合わせたり、一族の者たちがおいちの行方を探ったりしたが杳《よう》としてその行方は知れなかった。

密偵の正体が易々《やすやす》と割れたとは思えなかった。

だが、藤井紋太夫一派が小石川藩邸の実権を握りつつあるとの連絡を最後に行方知れずになったことを考えたとき、藤井一派に捕縛され、始末されたか、おいち自ら命を絶ったとしか考えられなかった。

鳶沢一族にとって影仕事に従い、命果てざるをえないことは間々あることだ。

総兵衛は、鳶沢一族本来の務めとは異なる御用でおいちの命を縮めさせたことを、今も悔いていた。おいちの生死を見極められない中、総兵衛はみつを密かに富沢町から駿府の鳶沢村に戻して、身の安全を図っていた。

「そなたらの女密偵らは、藤井紋太夫様の背信の証拠を掴んだか」

「さあて、最後に判断なされるのはご老公にございました」

「だが、鳶沢一族が総力を挙げて掴んだ事実のなにかがご老公に決断をなさしめた」

「奥向きの女中として藩邸に入った一人は、ついに大黒屋に戻ってまいりませんでしたが、その者が最後に接触していたのが藤井一派であることは私どもも承知しておりました」

「小石川藩邸内で行方を絶った女密偵のことをご老公は承知であったか」

「いえ、お知らせしておりませぬ。その者の生死は鳶沢一族が承知すればよきことです」

刻限は八つ（午前二時頃）を過ぎたであろう。

「安積様、私と腹心の一人が探り出した一件がございます。藤井紋太夫様、歌道、茶道のお嗜《たしな》みがございまして、月に一度は必ず常盤橋《ときわばし》御門内のさる大名家に参られ、そのお屋敷の主人と歌を詠《よ》み、茶を点てて楽しんでおられたそうな」

「道三河岸《どうさんがし》の主、側用人《そばようにん》柳沢保明《やすあきら》様か、総兵衛どの」

「いかにも」

「そのことをご老公にお知らせしたか」

「直《す》ぐにはお知らせしませんでした。柳沢邸に呼ばれるのは藤井様の外にも他の大名家の重臣方がおられました。藤井様が、歌を詠み茶を嗜む同好の士の域を超えての付き合いであるのかどうか精査するためでした」

元禄元年十一月に将軍綱吉は、柳沢保明を側用人として登用した。

保明は、館林藩主だった綱吉の家臣柳沢安忠《やすただ》の子で、幼少より綱吉に仕えて勘定頭になり、知行百六十石、蔵米三百七十俵を受けていた。そして綱吉が五代将軍に就任すると幕臣に転じて、小納戸役を務めた。

かつて幕府の職制中最高位の老中が執務する部屋は、将軍の出座する御用部屋に近かった。

ところが貞享元年（一六八四）、大老の堀田正俊《まさとし》が若年寄稲葉正休《まさやす》によって刺殺される事件が起った。それ以後、将軍の御用部屋は老中ら幕閣の集う場から遠ざけられた。

この将軍の御用部屋と老中らの部屋を遠ざけた理由には、綱吉が政治を独占的に執行するためという噂が城中に流れた。

いずれにしても将軍と老中の間を取り結ぶ役目として、側用人が置かれ、柳沢保明が就任したのだ。側用人の身分は、老中と若年寄の中間の格とされたが、将軍の代弁をなし、一人だけ将軍綱吉の意向を知り得る立場にあって、段々と側用人柳沢保明の力が肥大化していった。むろんこの背景には、綱吉の寵愛《ちょうあい》があってのことだ。

「綱吉様、側用人を抜擢《ばってき》なされ、柳沢保明なる人物に常軌を逸した権限を与えておられる。いささか危惧《きぐ》する事態である」

光圀がその折、明確な意図を持ち、総兵衛にその名を告げたのかどうか、今となっては分からない。ともあれ、柳沢保明が鳶沢一族の宿敵として、その後百数十年にわたり、暗闘を繰り広げていこうとは、この時、総兵衛も光圀も知る由《よし》もなかった。

元禄六年、密かに参府していた光圀は、幕府より賜った小梅村の水戸家屋敷に総兵衛を呼んだ。

「綱吉様の側用人柳沢保明偏愛目に余る。老中職らは柳沢の顔色を見て、右顧《うこ》左眄《さべん》し、情けなき仕儀である」

その折、光圀が吐き捨てた。

言外に柳沢保明を調べよと告げていた。

総兵衛は綱吉の寵臣として急速に力を付けてきた柳沢保明のことを光圀ほど

には意識していなかった。絶対権力者たる将軍の力を借りて、急速に力をつけてきた者は、また権力者の死とともにその力を失うことを承知していたからだ。だが、総兵衛は見誤ることになる。

綱吉の時代が想像を超えて長く続き、ために柳沢保明は後に松平の家名と綱吉の一字を下賜《かし》されて、吉保と改め、甲斐国《かいのくに》甲府城主にさらには大老格に栄進するなど、綱吉に代わって実質的な権力者の地位に就くことをだ。

「柳沢邸には綱吉様がしばしばお成りになるな」

光圀が総兵衛に糺《ただ》した。

「いかにもさようでございます」

と総兵衛が応じると光圀は暗い眼差《まなざ》しを虚空《こくう》の一点に向けて考え込んだ。そして、その折は黙したままそれ以上総兵衛を問い詰めようとはしなかった。

「そなた、綱吉様に藤井紋太夫様が柳沢邸でお目にかかった可能性をご老公に申し上げたか」

「いえ、はっきりとしませせぬゆえ申し上げてはおりませせぬ」

安積澹泊がしばし沈黙し、

「なんとのう、ご老公のご所業の訳が推測できた」

と洩らすと、

「彦六、彦六、と呼ばれて追い立てられるように書物を読まされていた時代がなんとも懐《なつ》かしい」

というしみじみとした声が総兵衛の耳に届いた。

夜明けが近づいていた。

光圀の埋葬は八つ（午後二時頃）の刻限に瑞龍山《ずいりゅうさん》の墓所で行われる。安積澹泊には忙しい一日が始まろうとしていた。少しでも体を休めておいたほうがよいと総兵衛は安積の体を案じた。

「総兵衛どの、そなたら、江戸より水戸まで尾行者があったと申したな。何者か推測はつかぬか」

「当初矢口為三郎様が水戸より連れてきた尾行者と思うておりましたゆえ、私どもを見張る者とは考えも致しませんでした。迂闊《うかつ》なことでした」

「総兵衛どの、そなたらにこの儒者風情が忠言もない。だが、尾行を命じた者がだれか、一人に絞らぬがよい。じっくりと相手の動きを観察して推量をすることだ」

「なんの推量も致しておりませぬ。安積様にはお心あたりがございますか」

「そなたら、鳶沢一族に関心を抱く一番目の人物は権力者の傍らにおって当人も絶大な力を得た者であろう」

「側用人柳沢保明様と申されますか」

「あくまで推測の域を出ぬ。だが、水戸光圀様と鳶沢一族の頭領に付き合いがあることは、柳沢様としても承知しておられよう。藤井紋太夫様が柳沢邸に親しく出入りしていたこともあればな」

「藤井様がご老公と私どもの付き合いを柳沢様に話したと申されますか」

「あくまで推測の域を出ぬ。わしは可能性を論じておる」

「安積様のご懸念《けねん》は柳沢保明様の後ろにお控えの綱吉様ではございませぬか。綱吉様には未《いま》だお世継ぎがおられませぬ。聞くところによれば綱吉様はただ一人の実子、紀伊藩に五歳にしてお輿入《こしい》れが決まった鶴姫様の婿《むこ》に、つまりは紀伊藩のご嫡男《ちゃくなん》綱教様に次なる将軍位をとお考え遊ばされておりますそうな。綱吉様の鶴姫様への想い入れは、光圀様にはどう映っていたのでございますかな」

「光圀様には将軍家の継承順位について確乎《かっこ》たるお考えがあった。水戸は尾張、紀伊を超えてはならぬとお考えであった。ゆえに甲府の綱豊様を超え、はたまた尾張を超えて、紀伊の関わりの者が将軍継嗣に就くことに反対なされたのだ。このことでも綱吉様はご老公をよくお思いではなかったに違いあるまい。その寵臣が柳沢保明様」

「私どもの尾行者は綱吉様の意を汲《く》む者でございますか。その他にも推測の筋がございますか」

安積澹泊は長いこと沈思した。

総兵衛は安積が眠り込んだのではないかと思われたほどだった。

「畏《おそ》れながら、わが殿綱條様もそなたらに尾行をつけて見張っておられるやも知れぬ」

「それはまたなぜにございますな」

「そなた、光圀様の兄君を承知じゃな」

安積は自らの気持を整理するように総兵衛に告げた。

水戸光圀の兄頼重は高松藩祖として水戸を出ていた。水戸二代藩主に就いた光圀はそのことを心にかけ、頼重の子綱條を三代目水戸藩主として遇していた。このこともまた光圀の継承に関する鉄の規律に則《のっと》って、理を貫いた結果だった。綱條は、光圀の考える理によって水戸藩三代目に就いた藩主であった。

だが、その養父たる光圀は、綱吉の「生類憐みの令」に逆らい、綱吉に犬の毛皮を送ったり、鶴を殺した領民を助命したりと、綱吉の心を逆なでするようなことを行なってきた。

「総兵衛どの、悪法であれなにであれ、公儀のお触れに真正面から逆らう光圀様のご所業を綱條様は快よう思われず、綱吉様の逆鱗《げきりん》に触れることを考えるあまり、小石川藩邸で『養父上《ちちうえ》はなんということをして下されたのです。この綱條の立場はどうなります』と憤慨なされたそうな」

「綱條様の見張りがわが大黒屋に注がれていた可能性があるとお考えですか」

「ご老公は一身を擲《なげう》ち、徳川一門のために理を通された。その結果、諸処方々から反発が返ってくることが考えられた」

「ご老公のご逝去《せいきょ》によって、それらの連中が策動し始めたと申されますか」

「晩年、ご老公の周りで密命を果たしたのは大黒屋、いや、鳶沢総兵衛どのとその一族であった。ゆえにご老公のご逝去のあとのそなたらの行動に視線が注がれておるのだ」

と安積が言い切った。

「最後にそなたに渡すべき品を光圀様より預っておる」

安積が隣室から持ち出したのは小さ刀《がたな》一振りであった。

総兵衛はその小さ刀の法城寺橘正弘《たちばなまさひろ》をしっかりと記憶していた。血に染まった小さ刀をご老公が総兵衛に遺した意はなにか。

その時、夜が白々と明けはじめていた。

四

元禄十三年（一七〇〇）十二月十二日。

水戸光圀の弔いは儒礼に則って行われた。

死去の直後、瑞龍山の墓所が造作され、藩主の綱條は中村篁渓《こうけい》、栗山潜鋒《せんぽう》の二人の彰考館総裁と諮《はか》ったうえ、諡号《しごう》を、

「義公」

と定めた。

死去三日後に納棺、十日、将軍の弔使として奏者番三宅康雄が水戸城に到着するために綱條はいったん水戸に引き上げていた。

そのような経緯があって江戸の町人古着商の大黒屋総兵衛と安積は、光圀の棺の傍らでしみじみとした別れの刻《とき》を過ごすことができたのだ。

十二日の午《うま》の下刻《げこく》（午後十二時半過ぎ）、光圀の棺は西山荘を出て、多くの家臣や新宿村の領民に見送られて、瑞龍山の墓地に無事埋葬された。

総兵衛、信之助、又三郎の三人は士民に混じって西山荘を出る光圀を見送った。

総兵衛ら一行は西山荘近くの百姓家に光圀の骸埋葬のあとも二日ほど留まっ

た。

水戸光圀は七十歳を目前にして出家を決意した。その折、光圀は己の心境をかく歌に詠んだ。

かたちよりせめているさの法《のり》のみちわけて尋むみねの月かげ

（僧形というかたちからまず入ることにしよう。真理である真如《しんにょ》の月が山の峰に輝くように仏の道に分け入りたいものだ）

七十歳を目前にした光圀の落飾の決断はなんであったのか。光圀の御側近くに最後まで侍《はべ》っていた儒学者や御医師たちは、出家の道を選んだ光圀にいささか戸惑いを感じていた。

臨終を前に日乗僧正は光圀の枕辺《まくらべ》で祈禱《きとう》しようとしたが、医師の井上玄桐に、

「却《かえ》って気が滅入《めい》る」

と止められ、口の中で寿量品《じゅりょうぼん》を七たび繰り返し唱えただけでその場を去らざるを得なかった。

この臨終の祈禱を玄桐が止めたことがきっかけで、光圀の側近儒者と僧侶《そうりょ》との間に感情的な対立がおきた。それは葬儀の方法を巡っていよいよ深まり、落飾した光圀の弔いに僧侶たちは加わることができなかった。日乗ら僧侶団が墓参できたのは埋葬の儀から四日目の十五日になってのことだ。

総兵衛らは夜明け前、瑞龍山の光圀の墓前に初めて参り、別れを告げることにした。

日乗ら僧侶らの参る前のことで、墓所は薄闇《うすやみ》に包まれていた。三頭の馬たちを墓所の外に繋《つな》いだ総兵衛らは墓前に額《ぬか》ずいた。

真新しい光圀の墓石の右手に、万治元年（一六五八）閏《うるう》十二月二十三日、二十一歳の若さで亡《な》くなった尋子《ちかこ》夫人の墓が並んでいた。光圀は尋子の死のあと、正室を娶《めと》ることはしなかった。かくて四十二年後、光圀と尋子は肩を並べて、仲良く永久の眠りに就いた。

もはや総兵衛が光圀に語りかけることもない。

合掌して瞑目《めいもく》した。

光圀は俗界を離れて黄泉《よみ》の果てを旅していた。その光景が一瞬、総兵衛の脳裏に浮かんだ。

そのとき、静かだった馬たちがなにかに興奮したように嘶《いなな》き、蹄《ひづめ》で地面をしきりに掻《か》いた。

又三郎は馬の興奮を止めるために歩み寄ると、

「どうどうどう」

と諌《いさ》めながら、馬に振り分けた荷籠《にかご》から古布に包まれた得物を音も立てずに取り出し、手綱を解くと馬の尻《しり》を次々にぱちぱちと撫《な》でるように叩《たた》いて、三頭の馬を解き放った。予測された戦いの場で怪我《けが》をせぬようにだ。

又三郎は総兵衛のもとへと何事もなかったように戻っていった。

尻を叩かれた馬三頭が朝靄《あさもや》に突っ込み、襲撃者たちを驚かせ、気配を総兵衛らに悟らせた。

「江戸から連れてきた影の者が姿を見せたか」

「どうやら」

主従は小声で言葉を交わしながら、又三郎がまず布を剝《は》ぐと鳶沢一族の頭領の差し料、三池典太光世《みいけでんたみつよ》を差し出した。

「うむ」

と総兵衛が受け、旅仕度の腰に差した。続いて信之助が手に馴染《なじ》んだ刀を、そして最後に又三郎が自らの剣を腰に差した。

総兵衛が腰に帯びた刀は密やかに、

「葵典太《あおいでんた》」

と呼ばれていた。

初代鳶沢成元《なるもと》が家康から拝領した一剣で、茎《なかご》に葵の紋が刻まれていたからだ。これを腰に帯びたとき、商人の古着商大黒屋総兵衛は、武人鳶沢総兵衛勝頼へと変わった。家康と成元が交わした密約によってだ。

薄闇を微光が追い散らすと朝靄が視界を閉ざしているのが分った。

「江戸富沢町からわれらをこの瑞龍山まで尾行してこられたようだが、なんぞ理由《わけ》あってのことか」

信之助が未だ姿を見せぬ尾行者に向って声をかけた。

しばしの間があって朝靄が揺れた。

「大黒屋総兵衛、光圀様からなんぞ遺言を託されたか」

しわがれ声が問うた。

「遺言のう、あろうとなかろうと、そなたらが関知すべきことではないわ。光圀様はかように黄泉の果てに旅立たれた。さようなことは放念し、朝靄がおのれらの姿を隠しているうちに江戸に戻れ」

「その雑言、許せぬ」

「そなたらの主がだれかは知らぬ。もはや光圀様はこの世の人ではない、そなたらが世間を騒がさぬならば、この総兵衛も動くことはない。光圀様の遺された言葉がなんであろうとな」

「抜かせ」

としわがれ声が答えると靄の向こうが渦巻いた。

総兵衛ら主従は、光圀と尋子夫妻の墓石を楯《たて》にしながら三人が間をおいて散った。

朝靄をついてきゅるきゅると音が響いて、飛来した飛び道具があった。

僧侶が被《かぶ》る饅頭笠《まんじゅうがさ》が四方八方から飛び来たり、最前まで総兵衛らが立っていた場所を無益にも斬《き》り裂いた。

そのいくつかは光圀と尋子夫人の墓石にあたり、腰を低くして飛来物を避けた総兵衛らの近くに落ちた。だが、大半の饅頭笠は、それを投げた者の手に戻っていった様子があった。

数年ぶりに会う面々であった。

総兵衛は落ちた饅頭笠を手探りで一つ摑《つか》んだ。

信之助も別の饅頭笠を拾い、手触りで饅頭笠の縁に鋭い刃が埋め込まれていることを改めて確かめた。

瑞龍山に微風が戦《そよ》いで朝靄を流した。すると乳白色の靄の中にぽつんぽつんと人影が総兵衛らを囲んでいることが知れた。

頭巾《ずきん》に麻地色の衣を身につけた僧兵の集団は六尺余の杖《じょう》や長刀《なぎなた》を携えていた。

総兵衛は十七、八人の僧兵の輪の中にしわがれ声の主を探った。

素手で立つ数人のうち、老いた姿に眼を止めた総兵衛が、迷いなく饅頭笠を飛ばしていた。その者だけが墨染の衣だった。

大きく円弧を描きつつ霧を吹き飛ばして飛んだ饅頭笠が、飛び散る霧に一瞬姿を隠したあと、墨染の衣を横から襲い、首筋を絶ち切った。
その瞬間、
ぱあっ
と血飛沫《ちしぶき》が霧を染め、
うっ
と呻《うめ》き声を残した影が一つ光圀の墓前に斃《たお》れ伏した。
(この一団の頭は墨染の衣の老人ではない)
と総兵衛は悟っていた。
真の頭目は総兵衛らの視界の外にいた。
一人が斃されたことがきっかけで信之助の持つ饅頭笠と僧兵の一団が持つ饅頭笠が虚空に飛び交い、互いの軌跡を打ち消すようにぶつかり合った。
だが、投げられた饅頭笠は断然敵方のほうが多かった。
墓所の陰に身を潜めていた総兵衛がゆっくりと葵典太の鯉口《こいぐち》を切りながら立ち上がり、

そろり
と舞い始めた。

「光圀様、あなた様の霊前に捧《ささ》げる祖伝夢想流の一指しにござる」

と宣言した総兵衛の身に四方八方から饅頭笠が殺到した。

典太光世がゆるゆると動かされた。

『猩々《しょうじょう》』の上げ歌が総兵衛の口を吐《つ》いた。

「潯陽《しんにょう》の江のほとりにて、潯陽の江のほとりにて、菊をたたへて夜もすがら、月の前にも友待つや」

饅頭笠がその刃に吸い寄せられるように飛来して、総兵衛が持つ刃が、
そよりそより
と動かされるたびに饅頭笠が両断されて瑞龍山の墓所に力なく落ちていった。

「竹の葉の酒、汲めども尽きず、飲めども変はらぬ、秋の夜のさかづき、影も傾く、入江に枯れ立つ、あしもとはよろよろと」

最後の饅頭笠が典太の戦ぎに斬り割られて、地べたに落ちた。

僧兵の集団のうち、六尺余の杖を構える者たちが素早く得物を手繰り寄せる

と杖の先端から、五寸（約一五センチ）余の両刃《もろは》の刃が飛び出してきた。長刀の面々も加わった。

総兵衛は光圀の墓前から離れると、信之助と又三郎もそれぞれの刀を抜いて、総兵衛の左右を固めた。

僧兵らは三人を取り囲むと、背後に回った二人が、総兵衛主従の背に手槍《てやり》となった杖を気配もなく突き出してきた。

だが、信之助も又三郎も鳶沢一族の豪の者、祖伝夢想流を会得《えとく》した面々だ。背後から押し寄せる殺気との間合いをとりつつ、利《き》き足を支点に回転すると手槍の刃と柄の間を斬り落とし、横手に弾《はじ》いていた。

相手の不意打ちの企ては失敗したが、総兵衛を真ん中に信之助、又三郎の間が開き、僧兵の一団が三人をばらばらに取り囲んだ。それが最初からの狙《ねら》いだったか。

総兵衛ら三人をそれぞれ真ん中に包み込んで、三つの花冠ができた。

「攻めよ、攻め殺せ」

戦いの場を隠れ潜んで見る者が命じた。明らかに武家の言葉遣いだった。

「こたびそなたらに命じたは道三河岸か、神田橋外の寺に関わりの者か」

と総兵衛が相手を牽制《けんせい》しつつ、この襲撃を命じた者は柳沢保明か、それとも隆光権僧正《ごんのそうじょう》かと尋ねた。

だが、返答はなかった。

その代わりに手槍が突き出され、長刀が振るわれ、総兵衛も信之助も又三郎も、それぞれを囲んだ五、六人の僧兵を相手に防戦することになった。

信之助は、突き出された手槍の先端を弾くと、流れる手槍の柄を左手に掴んで引き寄せ、右手の刀で相手の首筋を叩き斬った。さらに二人目、三人目の手槍の攻撃を、奪いとった手槍と刀で防ぎ、
くるり
と手槍を回すと、横手から突きこんできた二番手の脇腹《わきばら》を左手の手槍で突き差すと同時に右手の刀で三番手の小手を斬り落としていた。

風神の又三郎は、祖伝夢想流の神秘ともいえる緩やかな動きにいささか反して、迅速に跳ねまわり、五弁の花びらの陣形と動きを乱して、自らの戦いの遣《や》り方に誘い込んでいた。

総兵衛は典太を扇のように構えると、囲んだ相手の一人を睨《にら》んだ。すると相手が射竦《いすく》められたように固まった。

「草也、眼を外せ、動け動くのじゃ。相手の術中に嵌《はま》るでない」

小頭らしき一人が注意すると、眼を瞬《まばた》かせた草也と呼ばれた若い僧兵が横手に走り出した。すると残りの仲間五人も連携して左廻りに回転を始めた。

手槍が手繰られ、手槍六本が総兵衛の体を串刺《くしざ》しにするように六方向から飛んできた。

総兵衛は飛来する手槍の遅速を見て、手槍と手槍のわずかな隙間《すきま》に、そよりと身を移した。

祖伝夢想流ならではの寸毫《すんごう》の時の流れを読む勘と眼を持たねばできない技だった。

ために総兵衛の体をかすめた手槍三本が、直刀を構えて回転を続ける麻地色の僧兵の三人の身に突き刺さり、動きを止めさせた。また残りの三本のうち二本は、又三郎と信之助を囲んだ僧形の一人ずつの背と脇腹に突き立ち、戦列を離れさせた。

「おのれ」

と総兵衛を攻める三人の一人が、回転の速度を緩めつつ、総兵衛の左横から車輪に直刀を回しながら斬り込んできた。

総兵衛は小頭らしき相手の切っ先を瞬《また》く間に躱《かわ》しながら、内懐《うちぶところ》に踏み込み、
ぱあっ
と片腕を斬り落としていた。

転瞬、総兵衛が立ち竦む相手の体の背後に回り込むと、後ろから突っ込んできた敵方に小頭の体が倒れかかっていき、たたらを踏ませた。

総兵衛は小頭の苦悶《くもん》に一瞬動きを止めた相手の肩口へと典太を振りおろし、最後に残った一人を三池典太光世の切っ先を回して牽制した。

「無益な殺生をしとうはない。出直さぬか」

総兵衛が僧兵たちの背後に潜む者に呼びかけた。

ちえっ
と舌打ちがして、指笛が鳴らされ、僧兵の集団が引いていこうとした。

「怪我人を見捨てる気か、連れていけ。許す」

総兵衛らは、光圀の墓所に一礼するとその場を離れようとした。

(総兵衛、死んでもこの光圀を退屈させぬつもりか)

そんな声が総兵衛の耳に響いたような気がした。だが、もはや光圀はこの世の人ではなかった。声が聞こえるはずもないと思い直した総兵衛の口から
『猩々』の謡《うたい》の最後が洩れた。

「よはり臥《ふし》たる、枕の夢の、醒《さ》むると思へば、泉はそのまま、尽きせぬ宿こそ、めでたけれ」

総兵衛一行が瑞龍山の墓所から山道に出ると、総兵衛らの馬三頭が畦道《あぜみち》で枯草を食《は》んでいた。

「おお、そなたら、私どもを待っていてくれましたか」

又三郎が三頭の馬の手綱を手にすると、馬が、
ひひひーん
と嘶いた。

総兵衛一行が光圀の埋葬の儀から江戸の富沢町に戻ってきたのは、浅草寺年

の市も終わった師走《しわす》二十日過ぎのことだった。

一行は瑞龍山で襲った僧兵の一団が道中再び襲いくるのではないかと、那珂湊に立ち寄り、成田山新勝寺にお参りしたりしながら相手の出方を窺《うかが》ってきた。だが、光圀の墓所を騒がせた僧兵たちはついに姿を見せることはなかった。

「道中恙《つつが》なく旅してこられましたかな」

と笠蔵が総兵衛らを出迎え、

「だれぞ、女衆《おなごし》、濯《すす》ぎの水を三つ持ってきなされよ」

と大声で奥に叫ぶところにおきぬが早手回しに女衆を指図して、濯ぎを内玄関に運んできた。

師走のことだ。

大黒屋の店頭には担《かつ》ぎ商いや在所からやってきた古着商たちが元禄十三年最後の仕入れに姿を見せていた。

「どなた様もご贔屓《ひいき》を賜り、真《まこと》に有り難うございます」

と総兵衛が仕入れの客たちに挨拶《あいさつ》すると、

「総兵衛様、いよいよ元禄十三年も残り少なくなりましたな。一番番頭さんまで連れて商い旅かね」

と客の一人が尋ねてきた。

相模《さがみ》一円から伊豆にかけてを縄張りにして、担ぎ商いを何人か抱えて商いをさせる下田屋の吉五郎だ。

「下田屋さん、水戸のご隠居様がお亡くなりになりましたので、お弔いに行っておりました」

「おお、黄門様が亡くなったってな、水戸もこれで寂しくなるな。いくつだったね」

「七十三にございましたよ」

「齢《とし》には不足はないがね、暴れん坊の黄門様がいないとなるとよ、大きな声では言えないがよ、江戸の犬公方《くぼう》様がまたまたお触れを強められるのでないかね」

江戸にも光圀の死が伝わり、

「天《あめ》が下二つの宝つき果てぬ佐渡の金山水戸の黄門」

という落首が作られるほどにその死を悼《いた》み、「生類憐みの令」の触れの世の中を嘆く声が広まった。

「吉五郎さん、その話はうちの店先ではなしにして下さいな」

「えっ、大番頭さんよ、大黒屋さんで話してもいけねえか。『生類憐みの令』というが、魚も採っちゃいけないんだとかいうじゃないか。伊豆の浜では漁師が上がったりだと嘆いていたぜ」

「ともかくその話はなしにして下さいな」

と吉五郎に繰り返した笠蔵が、

「ささっ、旦那様《だんなさま》、内玄関に回って草鞋《わらじ》の紐《ひも》を解いて下され」

と総兵衛らを三和土《たたき》廊下の奥の内玄関へと急いで送り込んだ。

その半刻（一時間）後、大黒屋の中庭下の隠し大広間に総兵衛、笠蔵、信之助、それにおきぬの四人が久しぶりに顔を揃《そろ》え、総兵衛が三人の幹部に光圀の最後の模様や棺を西山荘で見送った様子の報告をなした。

「ご老公はお痛みもなくお静かにお亡くなりになったのですな」

「侍医の楊元廣様の膝枕《ひざまくら》に寄りかかる様にして身罷《みまか》られたそうな」

「波乱に満ちた英傑の最期《さいご》でございましたな」

笠蔵の言葉に総兵衛が頷《うなず》き、

「われら鳶沢一族に光圀様、ご懸念をお託しあった」

と総兵衛に遺された書状に触れた。

「とはどういうことでございますな」

「大番頭さん、光圀様のご懸念はご懸念のままに放置しておくべきかと思うた。じゃが、相手方がな、われらのことを気にしておる」

総兵衛が光圀の墓前での出来事を告げた。

「なんと光圀様のご懸念をわれら鳶沢一族が引き継ぐことになりましたか。光圀様のご逝去で水戸との関わりがいったん切れたと思うておりましたものを」

「大番頭さんや、しばし相手の出方を見てみるしかあるまい」

「はい」

と答えた笠蔵が、

「明朝の朝稽古《げいこ》の折、各々《おのおの》の身辺に油断なきよう申し渡しておきます」

と応じた。

総兵衛が腹心の大番頭の言葉に頷いたあと、

「大番頭さん、わが母の出自を承知しておられたか」

と詰問《きつもん》した。

「はっ」

と短く応じた笠蔵の顔色が変わった。

「承知であったようじゃな。この三人の中で父と同じ時代を生きたのは大番頭さん一人であろう。信之助もおきぬも二十八年前のことは知るまいでな」

総兵衛が笠蔵をみた。

「責めておるのではない、大番頭さん」

二人の会話を信之助もおきぬも息を飲んで見守っていた。

「わが母は鳶沢村で私を生み、産褥《さんじょく》で亡くなられた。そうであったな」

「はい」

「生きておいでなので」

と思わずおきぬが口を差し挟んだ。

「いや、その折亡くなられたのだ、おきぬ。ゆえに私は母の温もりも顔も知らぬ。そのことを今更憂《うれ》えても仕方がなかろう。だが、母が水戸家の家臣の娘で光圀様の仲介で父と親しくなり、私を生んだとしたら、こたびの光圀様のご逝去だけで事が終ると思うか。終るまい」

がばっ、と笠蔵がその場の床に額を擂《す》りつけた。

「大番頭さん、勘違いをなされては困る。そなたがこれまで母のことを黙っていたのは父の厳しい命があってのことと推察する」

「はっ、はい。幸綱様が亡くなられた折、迷いました。が、もはや詮無《せんな》きことかと沈黙を守り通しました。そのお咎《とが》めはこの笠蔵、どのようにもお受けいたします」

「勘違いするでないと申したぞ。われらが今考えるべきは水戸光圀様のご逝去によってどのような人物から邪《よこしま》な手が伸びてくるか、そのことじゃ。大番頭どの、心してそのことを考えよ」

はっ、と笠蔵が平伏したまま総兵衛の仰《おお》せに従った。

第三章　駒吉《こまきち》初手柄

一

元禄十三年（一七〇〇）十二月二十二日。

「さっさとござれや、節季《せっき》に候《そうろう》、節季に候」

大声を張り上げ、割り竹を叩《たた》いて大黒屋の店先で二人連れの節季《せっき》候《ぞろ》が物乞《ものご》いをした。

節季候は春を告げる風物詩といいたいが、ようは物乞いである。

大黒屋の店土間には大勢の仕入れの客たちがいて、師走《しわす》の活気があった。

「おお、もう節季候が姿を見せる時期ですか」

笠蔵《かさぞう》が店頭で賑《にぎ》やかにはやし立てる節季候の二人組を見た。

編み笠の上に挿されているのは裏白の葉だ。裏白は正月のお飾りに多く用いられるので、めでたい植物とされていた。一人は派手な手拭《てぬぐ》いで頰被《ほおかぶ》り、もう一人はおかめの面を被っていて素顔は見えなかった。

「去年《いつも》の節季候と人が違います」

帳場格子《ごうし》の中で机を並べた一番番頭の信之助が口も開けずに洩《も》らし、笠蔵が節季候を見て、小僧の駒吉を手招きして銭を何文か渡しながら、その耳元に何事か囁《ささや》いた。

「へえ」

と駒吉が請け合うと店先に出て、

「節季候の兄さん、ほれ」

と駒吉が銭を渡した。すると頰かぶりが、

「おありがとうございます」

と受け取り、裏白の飾られた編み笠を振り立てて一頻《ひとしき》り囃《はや》し立て、次のお店《たな》へと去っていった。

「正月が直《す》ぐだもんね」

店に面した広い板の間に座って絹ものの古手の縫い糸を解《ほど》いている女衆《おなごし》の一人が仲間にぽつんと呟《つぶや》いた。それでも手は休むことなく糸を解いていく。

絹ものは木綿ものに比べ高直《こうじき》だ。普段着にするものではない、一張羅《いっちょうら》だ。大事な絹ものを質で流したり、担《かつ》ぎ商いが買い取ってきたりする「古手」を大黒屋では再生する。絹ものは丸洗いして乾かすと縮むからだ。まず縫い糸を解いて、ばらばらになった四角い絹の布片《ぬのきれ》の洗い張りをするのである。大黒屋では絹ものが溜《た》まると年に何度か臨時に雇った女衆の手を入れて、懇意の「仕立て屋」に出す。

仕立て屋では着物から布片になったものを洗い、板に張り付けて干して縮まないように乾かし、縫い直して大黒屋に戻してきた。

本来、仕立て屋が糸の解きもやる。だが、師走の忙しい時期でもあり、大黒屋では広い板の間の一角に女衆を集め、玉止めを切って縫い糸を解き、ばらばらの布片にまで戻して仕立て屋に出した。

こんな絹ものが春先に戻ってきたとき、それなりの値段で売れるのだ。

女衆がお喋《しゃべ》りしながらも糸を解く間に小僧の駒吉の姿がふうっと消えていた。

だが、大黒屋の奉公人には小僧が姿を消したことなどに関心を持つ者はいない。だれもが大番頭さんの命で節季候のあとをつけていることを承知していたからだ。

その時、駒吉は大黒屋裏の稲荷《いなり》社の陰にいた。

最前、大黒屋の店先を賑わした節季候は、葉が落ちた大銀杏《おおいちょう》の木の下で一休みしていた。あれだけ大声で囃し立てれば、時に喉《のど》を休ませることも要った。

だが、大番頭の笠蔵は、念のため駒吉に去年とは違う節季候のあとをつけさせたのだ。

煙草《たばこ》入れから煙管《きせる》を出して節季候が一服する気のようだ。

駒吉と節季候の二人は二十間（約三六メートル）ばかり離れていた。

だが、煙草入れが物もらいの持つものではないことを認めることはできた。

縞柄《しまがら》木綿の煙草入れだが、遠目にも小洒落《こじゃれ》ていた。

「おっ、どうしたえ、小僧さん」

といきなり駒吉の背から潜み声が掛かった。振り向くまでもなく担ぎ商いの秀三《ひでぞう》だ。

秀三は大黒屋に出入りの担ぎ商いの体をとっていたが、鳶沢《とびさわ》一族であり、母親のおてつと組んで、江戸府内のあちらこちらから情報を拾い集めてくる探索方だ。親子の店はこの稲荷社の裏手にあった。

「秀三さん、節季候にしては立派な煙草入れではありませんか」

駒吉と秀三は知り合いが立ち話している体で会話を続けた。通りがかりの人が見れば、古着屋の小僧と出入りの担ぎ商いが世間話をしているように見えたかもしれない。

「なんぞ、怪しいか」

「去年の節季候と顔ぶれが違うんですよ。それで大番頭さんが私に尾行を命じられたんです」

「よし、あやつの煙草入れをとくと拝見させてもらおうじゃないか」

秀三は煙草喫《す》いだ。

だが、腰の煙草入れはくたびれた刺し子で手造りしたもので煙管筒は竹製の安物だ。ちょうど担ぎ商いにお似合いの持ち物であった。

すうっ、と駒吉から離れた秀三が、

「元禄十三年もおしめえだ、今年も貧乏神と同居して
貧乏ぐらしがさだまった、ああ、ちょんがいな」

などと即興の俗謡をいい加減に歌いながら、大銀杏の下の節季候の前を通り
かかり、

「ちょうどいいや、節季候の兄さん、煙草の火を拝借してえ、頼まあ」

と安物の煙管を突き出した。おかめの面が追い払う仕草を見せたが、

「おめえさんは古着屋か」

と仲間を制して、頬かぶりだったほうが反対に聞き返した。手拭いは首に巻
かれていた。

「へえ、下総《しもうさ》から上総《かずさ》を縄張りにしているだ、といえば聞こえがいいが、ひょ
ろびりをよ、売り歩く在所周りだ」

「ひょろびりとはなんだ」

「なに、おめえたち、ひょろびりもしらねえだか、水を何度もくぐって、布地

が薄くなってよ、ひょろっとよろめくとびりっと破れる古着のことだべ」

「ふーん、安物売りか。ご苦労なことだな、火を貸そう」

頬かぶりが秀三に自分の煙管を差し出して、点《つ》けさせた。

「ありがとうございますだ。わっしはね、煙草がねえと夜も日も明けねえ口でね。最前から我慢をしていたところだ」

秀三の眼は、節季候の持ち物の煙草入れが、水色の色変わりの縦縞模様に銀の白魚彫の前金具、緒締《おじめ》は珊瑚《さんご》で筒は桐《きり》の上物と一瞬で見抜いていた。

駒吉がいうように節季候が持つような代物《しろもの》ではない。

「古着屋さん、おまえさんの仕入れ先はどこだえ」

「どこって、富沢町で安物が仕入れできるとこはよ、どこへでも飛び込むだ。節季候のおめえさん方、おれに見合った古着屋に口を利《き》いてくれるだか」

「富沢町惣代《そうだい》の大黒屋なんぞには縁がない口か」

「大黒屋さんかえ、それがあるんだ」

「あるだと、嘘《うそ》じゃないな」

おかめの面を額から背に回した節季候が秀三を睨《にら》んだ。

「嘘ついてどうするだ。なあに、あの店はよ、わっしら担ぎ商いにもなかなか親切でさ、こちらの懐《ふところ》具合を察してよ、安く品を卸してくれるだよ。毎度毎度はこっちも気を使うだがよ、苦しい時の神頼みならぬ大黒屋頼みだべ」

「さすがは富沢町惣代だな」

「ああ、ああた方も富沢町に来たら真っ先に大黒屋に飛び込むんだね。そば代くらいは渡してくれるだよ」

「そのだあだあ言葉はどうにかならねえか」

「在所廻りで致し方ねえだよ」

「大黒屋は最前訪ねてきた」

「なんだ、もう商売は終っただか。それで一服か」

「古着屋さんよ、大黒屋はただの古着商いじゃねえって仲間から聞いたがほんとうかえ」

「ただの古着屋じゃねえって当たり前だべ。富沢町を仕切る惣代だ。大商いから、わっしらのような小商いまで万遍なく付き合いくださる有り難い出入り先が大黒屋だ」

「そうではない。なんでも大黒屋には裏の貌《かお》があるって噂《うわさ》があるそうだな」

「へえへえ、昔はなんでもお武家様って話だからね、そんなヨタ話が流れても不思議はねえだよ。なんぞ大黒屋に恨みでもあるのかえ、節季候さんよ」

「恨みなどないが、古着屋、大黒屋の面白い話を聞き込んできたら、大した銭になるんだがな」

「おいおい、節季候がそんな話をしてたら怪しまれるだけだべ。だれが、おめえさん方のような節季候とかよ、願人坊主《がんにんぼうず》のいうことを信じるだ」

「嘘ではないんだ、わしらが銭を出すわけではない。さるところのさるお方が大金を払うというていなさるのだ」

「ふーん、大金っていくらだ。一朱か、二朱はなかべ」

秀三が欲を出した表情で急《せ》き込んで聞いた。

「そんな端金《はしたがね》ではない、話次第では五両、いや、十両も出していい」

「節季候のいうことじゃねえだね。嘘かほんとか、危ねえ橋じゃねえだべか」

「そうではないんだよ、身分の知れたお方様の頼みだ」

「そんな儲《もう》け仕事ならば、節季候のおめえたちがやればいいだべ」

「節季候では大黒屋につながりもつくまい」

「ああ、それで煙草の火を借りたおれに眼をつけたか」

「そういうことだ」

「ならば、なにを調べればいいいんだ」

「大黒屋の奥に入り込めればいいんだがな」

「お、おめえたち、押込み強盗か。くわばらくわばら、そんな野郎の手伝いなんぞできるものか」

「いや、押込みなどでは決してない。奥になにがあるか、さるお方がお知りになりたいのだよ。おめえさんは入ったこともないのか」

「担ぎ商いが大店《おおだな》の大黒屋になんの用事があるだ。おりゃ、断るだ」

と言った秀三が大銀杏の木の下から立去りかけ、ふと思い直したように足をとめて、

「もしものことだぜ。おれがなんぞ大黒屋さんのことを知ったとしたら、どこに行けば銭になるだね」

と二人の節季候に聞いた。節季候が目配せし、

「通旅籠町《とおりはたごちょう》の草履問屋井筒屋定右衛門《さだえもん》方の裏手に旅籠の津の国やってのがある。そこへ知らせてくれ」

と頬被りが応じた。

「おめえさん方の名はなんちゅうだ」

「節季候って名指しすればおれか仲間が面《つら》を出す」

「名も教えてくれねえのか」

しばらく間があって答えた。

「小左吉《おさきち》だ」

「よし」

と応じた秀三に、

「銭になるものが分っているのか、古着屋」

とそれまで黙っていたおかめの面を背にかけたほうが秀三を見た。

「大黒屋の絵図面というのはどうだ。何年か前よ、普請《ふしん》だか、改築だかしたんだよ。そんとき、おれの知り合いの大工が一年半余も通っていてよ、図面を引いたって聞いたことを思い出しただよ。どうだ、大黒屋の絵図面では」

「絵図面ものによるな、うろ覚えで描いた図面では一分にもなるまい」

「おれのダチ公の親吉《しんきち》は棟梁《とうりょう》の片腕だぜ、生半可な腕じゃねえんだ。ちゃんとした絵図面に決まってら。だがよ、そいつを渡すわけにはいかねえ、ちょっと見るだけだ」

「見るだけじゃと、さような、いや、そんなことで銭になるか。せめて一晩くらい貸してくれぬとな」

こんどは秀三が考え込んだ。

「そうしたら、いくら払うだ」

「五両」

「親吉は、大黒屋にはいろいろ仕掛けがあるともらしたことがあるだよ。酒に酔ったときのことよ、あいつは酒に弱いだからな、だどもよ、素面《しらふ》だと真面目《まじめ》一辺倒だ、絵図面はちゃんと返してもらうべ。それで十両だ、どうだ」

しばしの間、節季候二人が思案して、

「二日以内に津の国やに持参せよ」

とおかめの面が言った。

「おめえさん、なんだかよ、言葉づかいが侍のようだべ、怪しいだ。この話大丈夫だか、ヨタ話じゃねえよな」

「ない、こいつは芝居なんぞに凝りやがるからよ、言葉づかいがおかしいんだよ」

と頰被りがいい、

「二、三日待ってくんな。必ず津の国やに届けるからよ」

と約した秀三が胸を叩き、その場を去った。

駒吉は見ていた。

秀三が立去った後、互いに目配せした節季候が、大銀杏の木の下から立ち上がった。また商いを始めるつもりか、二人は路地を抜けて長谷川町へと入り、

「さっさとござれや、節季に候、節季に候」

と声を張り上げ、再び物乞いを始めた。

その時、秀三は大黒屋の表から客の混雑の間に紛れて、店へと入り込み、帳場格子の中の笠蔵に眼で合図を送り、裏に回ると伝えた。

「一番番頭さん、ちょいと一服してきますよ」

笠蔵が信之助に言い残すと店の奥に入り、台所に行った。するとそこへ担ぎ商いの秀三が姿を見せた。

「ご苦労ですね、師走で駆け回っていなさるか。まあ、茶でも一杯」

と板の間の上がり框《がまち》に腰を下ろすように促した笠蔵に秀三が、駒吉と稲荷社のところで会ったことを告げた。

「節季候を見張らせてるんですよ」

「へえ、駒吉は今も張り付いておりましょう。あやつら、大した探索方ではありませんな、直ぐにお里が知れやがった。だれか知らねえがうちに関心を抱く野郎が節季候野郎の背後に控えてやがる」

と大銀杏の下で交わした会話をすべて笠蔵に告げた。

「うちの絵図面が十両ですと。秀三さんや、えらく安く手を打ちなさったね」

「一番番頭さんがちょこちょこと罠《わな》に嵌《はま》り込むような図面を描いてさ、十両だ。その値が高いか安いか、ご一統さんの働き次第ですよ」

「いかにもさようです」

と応じた笠蔵が、

「ちょいとお待ちを、総兵衛様に相談して参りましょうかね」

と立ち上がった。


その夜のことだ。

小僧の駒吉が興奮の体で大黒屋に戻ってきたのは四つ半（午後十一時頃）過ぎのことだった。むろん夕餉《ゆうげ》もとうに終わり、台所ではぽつんと駒吉の膳《ぜん》だけが残されていた。

中庭の離れ座敷では総兵衛と笠蔵、それにおきぬが小僧の帰りが遅いことを案じていた。

一番番頭の信之助は店で帳面付けをしながら駒吉の帰りを待っていた。

来春には十五になる小僧の駒吉が独り仕事を初めてしていた。体も大きくなり、鉤《かぎ》の手が付いた縄を操らせたら大人顔負けの技を発揮する一方で、若さゆえ猪突《ちょとつ》に走るきらいがあった。そのことを信之助は案じていたのだ。

「駒吉一人で節季候二人をつけさせたのはいささか考えが足りませんでしたか

な。小僧さん、近ごろ突っ走りますからな。なにもなければいいのだが」

離れの主《あるじ》の居間でも笠蔵が最前から何度も同じ言葉を繰り返していた。

「大番頭さん、駒吉さんはあれでなかなか眼端《めはし》が利きます。無理はしないと思いますよ。大丈夫ですよ」

おきぬが笠蔵の懸念《けねん》を打ち消そうとしたが、おきぬの言葉にも不安が滲《にじ》んでいた。

「そろそろ戻ってくるころです」

と総兵衛が応じたとき、ロの字に建てられた総二階漆喰造りの店蔵から中庭の離れへの渡り廊下に人の気配がして、信之助が駒吉を連れて姿を見せた。

「ただ今小僧の駒吉が戻りましてございます」

信之助が報告し、

「遅くなりましてご一統様にご心配をお掛けしました」

と駒吉が詫《わ》びて、ご苦労であったな、と総兵衛が労《ねぎら》った。

「節季候に江戸じゅうを引きまわされたか」

「はい。夕方までこの富沢町界隈《かいわい》で角付けをしておりましたが、六つ半（午後七時頃）過ぎに通旅籠町にいったん戻りました。あいつら、宿に泊まっているんですよ」

「津の国やですかな」

「あれ、大番頭さん、知っているんだ」

「秀三から話を聞いたんですよ」

「ああ、あいつら、秀三さんと長話していたもんな。だけど大番頭さん、あの二人、津の国やにいたのはほんの四半刻《しはんとき》（三十分）でさ、武士のなりに代わって旅籠の裏口から抜け出たんだよ」

「小僧さん、初めての独り仕事に上気しなすったかもしれませんが、言葉遣いが乱暴です。まあ、今日は見逃してやります。ようも裏口から抜け出たことに気付きなされたな」

「大番頭さん、富沢町で伊達《だて》に三度三度のおまんまを食してはいません」

「ほう、滅法威張りなさるな。で、どこに行きなさった」

「はい。通旅籠町から鎌倉河岸《かまくらがし》に出てさ、いや、出まして、銘酒屋の豊島屋に呑《の》みに立ち寄ったかと思うとそこも四半刻もしないうちに出てきてさ、いや、出ておいでなされました」

「こんどは節季候に出ておいでなされましたですか。今晩は話し易《やす》いように喋ってようございます、駒吉」

「ありがたい。こんどはさ、あの二人、三河町から昌平橋《しょうへいばし》で神田川を渡って、不忍池《しのばずのいけ》に向い、湯島の切通しから坂道を本郷に出たんだよ」

「尾行者を気遣ってますな」

「大番頭さん、この小僧の駒吉、抜かりはございません」

と駒吉が胸を張ると、ぐうっと腹の虫が鳴った。

「駒吉さん、もう少しの辛抱です。お茶を飲んで我慢なさい」

おきぬが茶を淹《い》れて駒吉に差し出した。

「おきぬさん、ありがとう。なにしろお店を出て以来、飲まず食わず、お茶を頂戴《ちょうだい》します」

がぶがぶと喉を鳴らして飲んだ駒吉が口の端の茶をお仕着せの袖《そで》で拭い、

「あいつら、どこへ行ったと思います」

「本郷界隈ですか」

と笠蔵が首を捻《ひね》った。

「あの付近には水戸家の中屋敷と上屋敷がございますな」

信之助が口を挟んだ。

総兵衛は自慢の長煙管を弄《もてあそ》びながら駒吉の初仕事の報告を嬉《うれ》しそうに聞いていた。

「さすがは一番番頭さんだ。あいつら、小石川の上屋敷の北側をさらに西に抜けて、伝通院《でんずういん》門前に出たんですよ。そんでね、ああ、伝通院でたれぞに会うなと思ったら、不意に向きを変えやがった。それで金杉水道町の安藤坂を下って神田上水に出たと思ったら、神田上水を牛天神《うしてんじん》社の方へさ、つまり水戸様の上屋敷に向っていったんです」

「ほう、やはり水戸屋敷でしたか」

と笠蔵が嘆息した。それを見た駒吉が残った茶を喫し、

「神田上水が水戸様の屋敷内に吸い込まれるように流れこむ水音が響いているなと思ったら、あっという間に僧兵の一団に前後を挟まれていたんです」

「えっ、あの節季候の二人にですか。おまえさん、油断ですよ。途中までなか

なかと思うておりましたが直ぐに馬脚を露《あらわ》すというやつです」

笠蔵が不安な顔をした。

「あいつら、仲間がいたんですよ」

「だ、だから、おまえはまだ半人前というんです」

「大番頭さん、話をお聞きになられたらどうです。こうして駒吉さんは無事に戻ってきているんですから」

おきぬに注意された笠蔵が、そうでした、そうでした、と頷《うなず》き、

「小言は明日に回します」

と呟いた。

「前は十万千八百三十一坪余の敷地の水戸様の上屋敷、横手は牛天神、後ろには五、六人の饅頭笠《まんじゅうがさ》のなりをした連中、残るは西から東へと水戸屋敷を抜ける神田上水の流れです」

（おもしろい）

総兵衛は、なんと小僧の駒吉が饅頭笠を江戸で誘《おび》きだしたかと、胸底でいささか感服していた。

「逃げ場所を失いましたな」

「大番頭さん、駒吉、十五歳を前に大黒屋の小僧のままに果てるのかと一瞬覚悟を決めました」

駒吉の言葉に総兵衛が、にやりと笑った。

「まさかとは思うが神田上水に飛び込んで逃げなすったか。それにしてはお仕着せが濡《ぬ》れておりませんな」

「ふと夜空を見ると、牛天神の境内の大欅《おおけやき》から枝がほどよく神田上水へと差しかけているではありませんか。そこでさ、綾縄《あやなわ》小僧の本領発揮です、懐の鉤縄《かぎなわ》を出してくるくると廻し、枝に投げ上げ巻きつけると、体を前後に揺さぶって神田上水の上を飛び越え、対岸の武家地に飛び下りて、すたこらさっさと水戸屋敷の南側に出て、百軒長屋から神田川に抜けて水道橋を渡り、あとは饅頭笠を手にした僧兵に付けられてないことを幾たびも確かめながら、富沢町に戻ってきたというわけです」

ふうっと大きなため息を笠蔵が吐《つ》いた。

二

「駒吉さん、ご苦労でした。台所にいって夕餉を食べなさい。女衆に言うてお汁も温めてありますし、格別に駒吉さんの好きな卵もつけてあります」

駒吉の報告が終ったことを確かめて、おきぬが駒吉に命じた。

「わあっ、卵ですか。わたし、生卵があれば丼《どんぶり》めし二杯は頂けます。おきぬさん、ありがとう」

背丈だけは大人なみだが、未《ま》だ小僧の気分を残した駒吉がおきぬに礼を述べ、ふと総兵衛の顔を見て、緊張に身を竦《すく》めた。

総兵衛が難しい顔をして考え込んでいたからだ。

「総兵衛様、駒吉、なにか手抜かりを仕出かしましたか。後々のためにお教え下さい。必ずや同じしくじりは仕出かしません」

総兵衛が思案顔を駒吉に向けて、にっこりと笑い、

「そうではないわ、駒吉。そなたがよう機転を利かせて水戸屋敷近くまで節季

候をつけていったと感心しているところよ。なにより無事に帰ってきたことが慶賀であった」

「真《まこと》ですか」

駒吉が満足げに破顔した。

「早《はよ》う台所に行き、飯を食しなされ」

「総兵衛様、ご一統様、今後とも陰ひなたなくご奉公致しますで、小僧駒吉をお忘れなく何事も命じて下され」

と丁寧に頭を畳みに擦り付け、

「ご免くだされ」

と言い残して主の居間から出ていった。

だが、渡り廊下の手前で立ち止まって、大きな息を吐いた気配が居間に伝わってきた。緊張しっ放しの一日だったのだろう。

「子どもなのか大人なのか、扱いに困りますな」

「大番頭さん、いや、駒吉がわれらの狙《ねら》いを絞り込んでくれた気がする。小僧さんの初手柄かもしれませんぞ」

「で、ございましょうか」

「饅頭笠を手にした頭巾《ずきん》の僧兵一団は水戸領内瑞龍山《ずいりゅうさん》の義公様の墓所にも姿を見せておる。あやつらが、節季候とつながりを持っておるとするならば、あやつら大きなしくじりを犯したことになる。綾縄小僧の駒吉を水戸屋敷の塀外まで追い込んでおきながら、小僧の隠し芸によってまんまと逃げられた。ともあれ、亡《な》き光圀様とこの総兵衛の関わりを気にしている輩《やから》が、やはり水戸の江戸藩邸と結びついておるのではないかというところまで駒吉が引き出してきおったのだ」

総兵衛の語調には訝《いぶか》しさがあった。

「いかにもさようです、駒吉の手柄でございます」

信之助が総兵衛の言葉に賛意を示した。

「われらの手に残されたのは津の国やの節季候と饅頭笠の飛び道具を持った僧兵の一団じゃ。水戸屋敷に巣食うなれば、炙《あぶ》り出すしかあるまい。その餌《えさ》は小左吉と称した節季候、実体は水戸藩士の二人かのう」

「秀三さんは、うちの絵図面を渡すと約定したのでしたな。こいつをあやつらの顔の前にちらつかせてみせますか」

「一番番頭さん、とんでもないことでございますぞ」

笠蔵が信之助の提案に慌《あわ》てて反対した。

「大番頭さん、ご安心下さい。改築の折の図面とは全く違った絵図面を渡すのです。この富沢町に誘い込むのもあやつらの化けの皮を剝《は》ぐ一つの策ではございませんか」

「節季候を摑《つか》まえて、背後に控えておる者がだれか吐き出させようという魂胆ですか」

「いけませんか」

信之助の言葉に笠蔵は総兵衛を見た。

「まずうちの絵図面によう似た偽物《にせもの》を作り、古色を塗《まぶ》してそれらしくすることだ。そいつをどう使うかはこれから思案すればよかろう。節季候がいつまで津の国やにおるか分からぬが、面の割れた駒吉を外し、見張りをつけよ」

「ならば手代の磯松《いそまつ》とおてつさんではいかがにございますな」

「よかろう」

おてつは秀三の母親で鳶沢一族の探索方だ。

「水戸藩邸をどうなされますか」

「十万余坪の小石川水戸屋敷を見張るのは容易なことではない。今少し狙いを絞り込むことが要ろう。敵と味方とは峻別《しゅんべつ》せねば、綱條《つなえだ》様と水戸屋敷に迷惑をかけるでな」

「亡くなられたご老公の意にも添いますまい」

信之助がぽつんと洩らし、

「今宵《こよい》ひと晩考えさせてくれぬか」

と総兵衛が集いの解散を命じた。

独りになった総兵衛は、安積澹泊《あさかたんぱく》の手を経て渡された水戸光圀の書状を拡《ひろ》げた。すでに何度も読んで文面は諳《そら》んじていた。やはり、この書状が節季候らを大黒屋の周りに出没させる原因だと確信した。ゆえに最期の光圀が総兵衛に願いたかった真の狙いがなにか思案するために披《ひら》いたのだ。

七十三年余の生涯、哀しき事もあり面白き事もあり、なかなか退屈もせず全う致せしものゆえ悔いなど一切これ無く候。ただ懸念ありて、そなたに腹蔵なきところを申し残し黄泉《よみ》へと旅立つ所存に候。

一は綱條がことに候。

予は前《さきの》関白近衛《このえ》信尋《のぶひろ》が次女泰姫《たいひめ》と承応三年四月十四日に婚姻致せしも、五年足らずの後、尋子《ちかこ》（泰姫）二十一歳の若さをもちて万治元年末に身罷りぬ。尋子と予との間に子なし。

尋子との縁組内定せし承応元年、予は侍女との間に一子頼常をもうけたり。爾来《じらい》九年、寛文元年予三男なれど水戸藩二代目藩主に就きたり。実兄頼重すでに高松藩主に就きおりたるゆえなり。

予は三代水戸藩主定むるにわが息頼常にあらずして兄の一子、甥《おい》綱條と決したり。頼常予が実子なれど水戸藩継承の名分立つまじく、これ人倫の大義なるゆえなり。されど斯《か》くなる差配によりて江戸藩邸内にいささかの騒擾《そうじょう》の因を残したる憾《うら》みあり。そなた承知の藤井紋太夫刺殺一件もまた然《しか》りなり。

総兵衛はそこまで読んで光圀の書状から眼を離し、一つの光景を思い出していた。

元禄七年（一六九四）二月二日。

総兵衛は鳶沢丸《とびさわまる》を駆って那珂湊《なかみなと》に入った。光圀の呼び出しによる訪問だった。この夜、総兵衛だけが日和山《ひよりやま》中腹に建てられた湊御殿に招かれた。そして、光圀は二十一歳の総兵衛勝頼に、

「水戸の内憂」

を初めて語った。

家督を綱條に譲って四年足らず、藩邸内に内紛が生じているというのだ。

「一番の憂《うれ》いは予が兄頼重の子綱條を三代目に就けたことにある。家臣の一部はこのまま水戸徳川家が連枝《れんし》の高松藩の血筋を重ねていくのではないかと危惧《きぐ》しておることだ。その不安を上手に操り、大老の藤井紋太夫が反綱條派を形成しおる形跡がみられる。予は紋太夫に度々諫《いさ》める言葉を送ったが、もはや隠居

には用なしとばかり、予の諫言《かんげん》を無視して返書もくれよらぬ」

総兵衛は沈黙して光圀の言葉を聞いていた。

「総兵衛、古証文を持ち出すようだが、そなたとこの那珂湊で初めて会《お》うたとき、そなた、予と亡父の前で、もし水戸に火急のこと発生致した折は、勝頼が水戸のためにひと肌脱ぐと約定《やくじょう》したな」

と話を中断し、総兵衛に念を押した。

「いかにもさようでございました」

その語調を聞いた光圀が皮肉な嗤《わら》いを浮かべて問い質《ただ》した。

「あの折はそなたの父が存命であった、そなたは十五の若造であり、若さにまかせての自由奔放な言動が許された。総兵衛勝頼、鳶沢一族と大黒屋の六代目当主の地位に就いて臆《おく》したか」

「いささか青二才の逸《はし》った言葉であったかと悔いております」

「正直よのう。ならばこの話、続きはなしとしようか」

「いえ、お続け下されますよう。神君家康様より鳶沢一族がどのような使命を負わされてきたかご承知のご老公様が、徳川御三家とは申せ、水戸様の内紛のためにだけ、われらを引っ張りだされるわけもないと存じます」

「ふっふっふ、六代目が光圀に釘《くぎ》を差しおるわ」

と満足げに笑った光圀が、

「総兵衛、そなた御三家水戸の内紛が幕府を揺るがすとなれば、そなたらの秘命にそぐわぬわけではなかろう」

と言い足した。

だが、鳶沢一族が自らの意思で動くことは禁じられていた。影様の呼び出しをうけて命《めい》を受けたとき、初めて鳶沢一族は戦いを開始できた。

家康公の巧妙極まりない策の一つで、影には、

「判断と命」

を授け、鳶沢一族には、

「行動と始末」

とその役割を分担させて暴走できぬようにしていた。

「そのような兆候がございますか」

「藤井紋太夫の動きに注視せえ。必ずや千代田城に巣食う腹黒い女子《おなご》や生臭坊《ぼう》

主《ず》に行きつこう」

光圀は綱吉の母の桂昌院、真言宗の僧侶《そうりょ》隆光を示唆する言葉を吐いた。

この二人、綱吉を使嗾《しそう》して「生類憐《しょうるいあわれ》みの令」を施行させた人物たちと言われていた。

「予が藩主の地位にある折なれぱかような頼みはそなたにせぬ。だが、隠居の身となり、水戸からさえ離れた西山荘に身を潜めた今、手も足も出ぬでな」

「政《まつりごと》から遠ざかられたのはご老公ご自身のご意思ではございませぬか。雀百《すずめ》まで踊りを忘れず。そこでわれらの力を借りたいと仰《おお》せられますか」

「いかにもさよう」

六十七歳の光圀が二十一歳の総兵衛相手に居直った。

「藤井紋太夫様の身辺、江戸に立ち帰り即刻調べます。その結果次第でわれらが動くか動かぬか、決めてようございますか」

「それでよい」

「ご老公様、安積澹泊様は確か昨年彰考館の総裁に就任なされましたな」

「よう承知しておるな」

「江戸に戻ったら安積様を彰考館に伺《うかが》ってようございますか。藤井紋太夫様との面会の機会をつくって頂きとうございます」

光圀はしばし沈思して言った。

「安積は政の場やら駆け引きには向かぬ。ゆえに安積をさような場に連れ出しとうはない。予と今も緊密に連絡をし合《お》うておる者が小石川の藩邸におる。この者なれば紋太夫との面会の場も率なくもうけられよう。富沢町にその者をいずれ訪れさせる。それでよいか」

「姓名の儀は」

「いずれ分かる」

光圀はそう返答すると、総兵衛によいな、と念を押す風に顔を向けた。頷き返した総兵衛は、問い返した。

「この際にございます。総兵衛に言いおくことがなんぞございますか」

「貞享元年（一六八四）八月二十八日、江戸城中で若年寄稲葉正休《まさやす》が、大老堀田正俊《まさとし》を刀で刺し、深手を負わせた騒ぎがあった。ちょうど十年前の出来事であった」

と光圀が話を展開した。

総兵衛はただ頷いた。

「実は大老堀田はその場で即死であった。だが、深手は負うたが生きて江戸城を出て藩邸で絶命したという届けが幕府に後に出された」

光圀はそこでやや間を置いてから、一気に話し始めた。

「稲葉もあの場で老中大久保忠朝《ただとも》らに討ち果たされ、死んだ。そして、美濃国青野藩一万二千石は改易になった。正休は正俊の父正盛の従兄弟《いとこ》にあたる。刺殺の遠因は淀川改修の普請を巡ってのことと言われるが、真相は当事者二人が亡くなり、闇《やみ》に葬《ほうむ》られた。予はあの日、登城していて、その場に居合わせた老中大久保、戸田忠昌《ただまさ》、阿部正武《まさたけ》を呼びつけ、なにゆえ正休に弁明の機会も与えず、事の正否も判断致さず、三人がかりで斬《き》り殺したかと糺問《きゅうもん》致した。するとな、大久保らは返答に窮しおった。老中ともあろう者たちがその程度の判断もできぬか、と予は嘆息した」

「十年前の騒ぎの真相を探れと申されますか」

「逸るでない、総兵衛」

光圀が諫めた。だが、その表情は最前と異なり、憂いがあった。

「大老に若年寄が斬りかかるなど大事の極みじゃ。だが、老中どもが狼狽《うろた》え、殿中でござると騒ぎ立て、三人もで斬り掛かるなど粗忽《そこつ》千万であった。大坂夏の陣からわずか八十年足らず、武士もかように腸《はらわた》なき者を生みしかと嘆いた記憶がある。だがな」

光圀が言葉を切った。

「正休を使嗾し刀を抜かせた者がいて、その者たちが正休の錯乱の結末を見定めて、口を封じたとしたらどうなる」

「大久保様方は明確な意思を持って行動なされたと申されますか」

「あやつらは小者よ」

「確かに三人のご老中は、ただ今も幕閣に残っておられますな」

「いかにも大久保、阿部、戸田の三人ともに老中職に留まっておる」

総兵衛は漠としたことだが光圀が言わんとすることの予測がついた。だが、口にはしなかった。

「三老中は走り使いじゃ。だれがこやつらを動かしたか」

「調べよと申されますか」

総兵衛の問いに光圀が小さく頷いた。

総兵衛は、那珂湊に碇《いかり》を下ろした鳶沢丸で三夜を明かし、次の日の夜明け前江戸に向って出帆した。

光圀は鳶沢丸が軽やかに帆に広げて大海原に出ていく光景を湊御殿から黙ってみていた。

鳶沢丸が舳先《へさき》を江戸に向けたとき、総兵衛の船室に一番番頭の信之助が姿を見せた。

「なんぞ御用がございますか」

信之助は光圀の用を婉曲《えんきょく》に聞いたのだ。

「貞享五年、水戸城中に父と私が逗留《とうりゅう》したことがあったな」

「先代が亡くなられる三年前のことでございました」

「私は十五であった。その折のいささか気負った私の言葉を記憶しておられ、水戸のために動いてくれぬかと願われた」

総兵衛は腹心の一番番頭に光圀との会話をすべて告げた。

「藤井紋太夫様は光圀様のご寵愛《ちょうあい》をうけてただ今の水戸藩執政、大老の地位に昇り詰められたお方にございますな」

信之助は水戸藩の江戸藩邸の内情を承知している風があった。

「光圀様は、われら鳶沢一族の使命に反する願いではないと申された」

「水戸藩のみならず徳川一門全体に関わる大事と懸念されておられますか」

「どうやらそのようだ。ゆえに十年も前の騒ぎ、若年寄稲葉様が大老堀田正俊様を刺殺した一件を持ち出された」

「その真意は奈辺《なへん》にあるのでございましょう」

「光圀様は大久保様方三ご老中が、稲葉様が堀田ご大老に恨みを抱いておられることを承知して唆《そその》かし、騒ぎを起こされた直後に口を封じるために討ち果たされたと考えておられる」

信之助が思案した。

鳶沢丸は西風に対して右舷《うげん》側に斜めに切り上がり、反転して左舷側斜めに切り返す航法で江戸を目指していた。

「あの騒ぎによってなにか変ったか考えておる」

「稲葉家は絶家、廃藩となり、青野領は幕府直轄領《ちょっかつ》に組み入れられました」

「稲葉様をあの場で殺した三ご老中は今も健在である」

「いかにも」

「あの騒ぎによりてご老中の権限が一段と弱められたとは思わぬか」

信之助が総兵衛を見た。

「上様の御用部屋は元々老中方の集う部屋に近いところにあった。将軍の命を直《す》ぐに統括の部署に通達できるためだ。だが、あの騒ぎのあと、綱吉様の御用部屋は老中方の部屋から遠ざけられた。若年寄稲葉正休が如《ごと》き乱心者の刃《やいば》が将軍綱吉様に向けられぬようにするという理由であった。結果上様と老中方との間の疎通《そつう》が面倒になった」

「それゆえ御側用人《おそばようにん》が置かれ、綱吉様と老中大久保様方の取り持ちを柳沢保《やす》明《あきら》様がなされるようになり、綱吉様の代弁者の力が格段に大きくなったと聞いております」

「側用人は老中と若年寄の中間の格とされるが、ただ今の柳沢保明様はご老中を束にしても叶《かな》うまい」

「光圀様はそのことを考えよと総兵衛様に仰せられたのでございましょうか」

「しかとは言えぬ。だが、水戸家の内紛は幕府を揺り動かすことに通じておると示唆《しさ》なされた」

信之助は総兵衛との問答を振り返り、自らに問い直しているように思えた。

「鳶沢一族に号令をかけられるのは影様一人《いちにん》でございます」

「分っておる」

総兵衛の言葉がどことなく苛立《いらだ》っていた。

「われらが動くかどうかは別にして水戸屋敷の動きは把握しておきたい」

水戸光圀と鳶沢一族の関わりは、五代目総兵衛時代に始まったことだった。

それは鳶沢一族の使命を逸脱したことでもあった。

命は影様のみ、それが天下の副将軍水戸光圀でもその命に服するわけにはいかなかった。どのような理由か、父は光圀との縁をもった。

父の跡始末は子がなすしかない、腹心の信之助にも打ち明けられないことだった。

信之助にとって主の命は絶対だった。

「江戸に戻りましたらすぐ手配りを致します」

「いや、よい」

「見張りは置かぬと申されますか」

「私がまず藤井紋太夫様にお目にかかる。その機会をもうけて頂くことを光圀様に願《ねご》うておる。その人物はだれか知れぬが、いずれ店に連絡《つなぎ》をつけてこられる。鳶沢一族が動くかどうかはそれ次第だ。それでよいな、信之助」

はっ、と信之助が畏《かしこ》まった。

三

光圀は二月七日まで湊御殿に滞在し、西山荘に戻った。そして、この月の二十八日、将軍綱吉の命で光圀は隠居後、初めて江戸に出ることになる。だが、総兵衛はそのことを知らされていなかった。

元禄十三年（一七〇〇）十二月二十五日。

総兵衛は光圀の遺書となった書状を手にぽつねんと物思いに耽《ふけ》っていた。

鎖国令が敷かれて六十七年余、徳川幕府の国力がすべてに渡って異国から後れを取っていた。そのことを総兵衛は長崎留学で肌身に感じて承知していた。政、交易、造船航海術、大砲火薬、軍事、医学すべて百年以上の後れがあった。もし、ただ今の和国に夷狄《いてき》が攻めてきたら、徳川幕府は関ヶ原の戦いの装備で戦うことになる。

総兵衛には悲惨な結果が予想できた。

光圀もまた異国の進歩を承知しているゆえに、徳川幕府の行く末を憂慮していた。

（さてどうしたものか）

富沢町のどこぞで飼われている犬か、吠《ほ》え声を上げた。いつしか刻限は夜明け前に近付いていた。

緊張が大黒屋に走った。とはいえ、奉公人が眼を覚ましたり、物音がしたりする気配はない、ひっそりとした中の緊張であった。

総兵衛は動かない。

「総兵衛様、眼を覚まされましたか」

と廊下からおきぬの声がした。

「寝てはおらぬ、入れ」

と応じながら総兵衛は光圀の書状を懐《ふところ》に仕舞った。

障子が開かれると、いつの間にか寝着から着替えたおきぬがいた。

おきぬは浮世絵に描かれるほどの美形だ。

大黒屋のだれもが六代目総兵衛の嫁は、おきぬが相応《ふさわ》しいと考えていた。

またおきぬは総兵衛を慕っていた。同時に総兵衛が幾とせの千鶴と相思相愛であることを承知していた。一族の決まりに順《したが》えば、総兵衛とおきぬの婚姻がもっとも有り得べき選択だった。だが、おきぬは、総兵衛が千鶴のことで煩悶《はんもん》葛藤《かっとう》していることを承知していた。

一方で総兵衛は一番番頭の信之助がおきぬを慕っていることを察していた。

総兵衛と信之助は従兄弟だ。

総兵衛が千鶴を選び、一族を抜けたとき、七代目に相応しい人物は信之助だ。その信之助がおきぬと結ばれれば、総兵衛は、外から一族を支える道を選択できるかもしれなかった。

おきぬの思慕を知りながら、総兵衛は知らぬふりをし続けてきた。

「異変じゃな」

「はい」

通いの奉公人は別にして大黒屋に住み込む奉公人は男衆《おとこし》も女衆《おなごし》も鳶沢一族の者だ。むろん富沢町に大黒屋が看板を上げて百年を迎えようとする今、住込みであった奉公人が所帯を持ち、富沢町界隈で古着商いに従事している場合も間々あった。

たとえばおてつと秀三母子が担ぎ商いで暮らしを立てている風を装《よそお》いながら影御用を務めているように、かなりの数の者がいた。

そのような隠れ鳶沢者は、大黒屋から半丁ほど離れた問屋街にそれぞれ小さな古着店を出していた。そんな古着店へは大黒屋の蔵や地下の隠し部屋から秘密の地下通路が通じていて、大黒屋の表戸、裏戸を抜けなくとも外に出られたし、また見張りの眼を躱《かわ》して外から店へと戻ってくることができた。

大黒屋の離れという本丸を、二十五間（約四五メートル）四方の総二階漆喰造の口の字型の店、蔵、奉公人の住いなどが総曲輪《そうくるわ》のように囲み、曲輪の中の船隠しや地下の大広間などを隠していた。

今、大黒屋の中で緊張が走ったのは入堀に面した二階の奉公人の大部屋あたりで、気配を消して警戒態勢に入っていた。

「捨て犬にございましょうか」

おきぬが総兵衛に問うた。

「生類憐みの令」がだんだんと厳しさを増す中、病死したり誤まって死なせたりした野良犬《のらいぬ》を余所《よそ》の屋敷や店の前に捨てることが流行《はや》っていた。

朝廻りの御用聞きなどに見つかると、その家や店にはえらい難儀がかかった。それだけにどこもが夜も警戒を怠らない。大黒屋では店に不寝番を交替で詰めさせていた。

「捨て犬にしては緊張が過ぎるように思える」

総兵衛が答えたところに渡り廊下に人の気配がした。

「旦那様《だんな》、ちょいとお耳に入れたきことが生じました」

　笠蔵の声がして大番頭が姿を見せた。

「おや、おきぬの眼も覚まさせましたか」

「なにがおこったな、大番頭さん」

「駒吉が厠《かわや》の窓より船に乗った饅頭笠の僧兵の一団がうちの船着き場に姿を現したのを見付けまして、すでに配置についております」

「うちを襲うつもりか」

「いえ、船より死んだ犬やら鶴《つる》やらを下ろしておりますそうな」

「小細工しおるな」

「総兵衛様、あやつらを叩《たた》きのめすだけでようございましょうかな」

「光圀様の墓所前で一度、小石川の水戸屋敷外で二度目に駒吉を襲い、こたびは大黒屋の本丸に小細工を仕掛けおるか。そろそろ正体をはっきりさせてもらおうか。何人ほどか」

「船三艘《そう》にて二十数人はおるとのことにございます」

「うちを甘く見ておらぬか」

「すべて一番番頭が手配りしてございます」

「饅頭笠の二、三人をひっ捕らえて口を開かせようか」

と言うと総兵衛が立ち上がり、おきぬが心得て、三池典太光世《みいけでんたみつよ》を差し出した。

総兵衛は、腰に一剣を差し落とし、長煙管《ながぎせる》を手にした。

「大番頭さん、今宵の不寝番は駒吉か」

と総兵衛が胸の訝《いぶか》しさを問うた。

「いえ、手代見習いの康吉にございます」

「駒吉め、水戸屋敷外の興奮冷めやらず眠っておらぬのか」

「いえ、駒吉は胸騒ぎがして眼を覚まし厠から外を覗《のぞ》いて、例の饅頭笠と麻地色の衣の到来を見付けたそうにございます」

「小僧さんが胸騒ぎか」

総兵衛が薄く笑い、地下への隠し階段の仕掛けを開いた。すると地下から冷気が総兵衛の居間に上がってきた。

そのとき、駒吉は二階の屋根の梲《うだつ》の陰に身を潜めていた。

胸騒ぎがしての行動ではない。水戸藩邸外で駒吉を挟み撃ちしたのにも拘《かかわ》らずまんまと逃した悔しさに、必ず近いうちに新たな策を仕掛けてくると、このところ連夜、二階の厠に潜んで外を見張っていたのだ。

奉公人の使う二階の厠からは、入堀と河岸道《かしみち》、それに富沢町の通りが見えた。一晩や二晩徹夜しても大丈夫と思ったが、さすがに四日目となる今夜は、夜半過ぎについとろとろと眠り込んだ。

大部屋から奉公人たちの競い合うような鼾《いびき》が聞こえてきた。その鼾も駒吉を眠りへと誘った。

ふと犬の吠え声に眼を覚ました。すると常夜灯の灯かりに、入堀を入ってきた船が見えた。

(来たぞ来たぞ)

わが意を得たりとばかり駒吉は、急ぎ三番番頭の国次《くにじ》を揺り起こしにいった。

大部屋に寝るのは三番番頭以下、小僧までの奉公人だ。

大番頭の笠蔵は一階の薬草園の側に部屋があり、一番番頭もそれに準ずるために個室をもらっていた。

「なに、僧兵の一団とな」

「そやつらのことは総兵衛様も一番番頭さんも承知です」

「ならばそなた、一番番頭さんに知らせよ」

　と国次から命じられた駒吉は、気配を消して一階へと走り、まず信之助に事情を説明した。

「よし、四番番頭の又三郎を頭《かしら》に船隠しから短弓を持たせた飛び道具組を用意させよ。店組は私が率いる」

　と命じる信之助に、

「一番番頭さん、三番番頭さんに報告したら、私、厠から屋根に出てようございますか」

「駒吉、僧兵どもにひと泡吹かせようという考えですか」

　信之助は身支度をしながら駒吉に問い返した。

「私はあいつらを知る数少ない一族のうちの一人です。なにをあいつらがなすか梲の陰から見守りとうございます。お店《たな》の表戸に火でも点《つ》けられたら厄介です。その前に私がちょちょいと邪魔をします」

「いいでしょう。ですが、調子に乗るのは許しません」

「畏まりました」

駒吉はその場から二階に走り戻り、信之助は大番頭の笠蔵の部屋に向った。

鳶沢一族がすべて配置に着いたのは間もなくのことだ。

総兵衛は小袖の腰に鳶沢一族の頭領の証《あかし》の三池典太光世を差し落とし、その上にざっくりとした綿入れの打ち掛けを着込んでいた。

打ち掛けの背中の図柄は派手な、

「風神雷神」

だった。

手に長煙管を持って、大黒屋の通用戸から独り表に出た。饅頭笠を手にした僧兵の一団がぎくっとして総兵衛を見た。

「瑞龍山以来じゃな」

「おのれ」

気付かれたことに罵《のの》り声《し》が上がった。僧兵の群れの後ろからだ。

「夜明け前に死んだ犬などを抱えて大黒屋詣《もう》でか。『生類憐みの令』がどのような触れであれ、綱吉様が施行なされた定法に代わりあるまい。うちの店の前に放り出しての嫌がらせか」

「許せぬ」

「祖伝夢想流を所望なればひと指し舞《も》うてもよい」

総兵衛が銀の長煙管を饅頭笠を手にした僧兵の一団に突き出した。

すでに総兵衛は鳶沢一族の一派が船隠しや地下通路を伝って一族の出店から外に出ており、また大黒屋の屋根などの配置に就いたことを感じとっていた。

巨漢ぞろいの中にあってひと際《きわ》小さな影が群れを割って姿を見せ、自らの饅頭笠に片手をかけた。

「この総兵衛に同じ手は通じぬな」

「畜生三匹骸《むくろ》回し」

と頭分が低声《こごえ》で呟《つぶや》くと、杖《じょう》の仕込み槍《やり》に突かれて死んだと思《おぼ》しき犬の死骸《しがい》を抱えた麻地色の衣たちがそれらを河岸道の虚空《こくう》に投げ上げた。その数三匹。

大黒屋の軒先に吊《つ》るそうと考えてきたか、首に長い縄が括《くく》りつけられていた。

その死骸をくるりくるりと縄の端を持った巨漢三人が回し始めると、槍傷からいったん止まっていた血が河岸道に飛び散った。

「犬畜生というても生き物の死を粗末に致す坊主《ぼうず》がどこにおるや、許せぬ」

総兵衛は腰の典太光世を抜こうともせず、長煙管を片手に構えた。

回転する犬の死骸が総兵衛の体に迫ってきたとき、

ふわり

と三つの死骸が回る

「間」

に総兵衛の体が入り込み、そよりそよりと骸が飛び交う間をすり足で歩き出した。

「乱れ笠疾風雷来」

頭の低声が次の命を発すると、僧兵の一団が総兵衛と犬の骸を振り回す三人の仲間を輪の中に封じ込めるように二手に分かれ、それぞれが逆周りに円を描いて走り出した。蟹《かに》の横走りで走る麻地色の僧兵二組が、見る者には渦を巻く流れのように一つにつながった。

総兵衛の視覚を妨げる動きだが、総兵衛は半眼にして渦から意識を遠ざけていた。

饅頭笠に手がかかり、
はっ
と気合いを発した一団が饅頭笠を虚空に投げた。

十数もの饅頭笠が未明の空に高く飛び上がり、総兵衛の半眼の狭い視界から消えた。

河岸道には常夜灯のおぼろな灯りが投げ掛けられていた。

頭分の片手が上がった。

すると大黒屋の店前《みせさき》の闇の四方八方に散った饅頭笠が飛翔《ひしょう》を終えて、総兵衛へと下降してきた。

その間にも犬の骸三つがぶんぶんと回転していた。

総兵衛は眼を見開いた。

饅頭笠を投げた僧兵の一団はすでに杖に仕込まれた直刀や槍を出し、饅頭笠の襲撃と同時に総兵衛に斬りかかる態勢を整えていた。

複雑な軌跡へと変った饅頭笠が姿を見せ、一斉に総兵衛へと襲いかかろうとした瞬間、富沢町に無数の短弓の弦音《つるおと》が響き渡った。
大黒屋の総二階漆喰造りの屋根や船隠しから入堀に出た戦衣の一族の面々が矢を放った音だった。僧兵の一団よりさらに大きな包囲陣形を造り、それぞれの場所から射かけたのだ。矢は鏑矢《かぶらや》が交じり、
ひゅうひゅう
という風切り音が新たに富沢町に響き渡った。
犬の骸と饅頭笠の飛び交う下を平然と舞い続けてきた総兵衛が、一族が配置に就く時を稼いだために僧兵の一団を大きな輪に囲い込むことができたのだ。
総兵衛へと殺到する饅頭笠を短弓から放たれた鴈又《かりまた》の矢尻《やじり》が射抜き、変幻する飛翔を止めると、
ぱたぱた
と河岸道に落とした。
その数、饅頭笠の半数以上に及び、未だ虚空を飛ぶ饅頭笠も力を失くしていた。そして、その間も犬の骸三つだけが回転していた。
梲の陰にいた綾縄《あやなわ》小僧の駒吉が立ち上がると、鉤《かぎ》の手の付いた縄を回し始め、

ひょい
と一匹の犬に結ばれた縄に鉤の手を絡《から》めると軒屋根を横手に走った。この夜の綾縄小僧の縄の一方には砂袋が結んであった。走りながら駒吉は砂袋を犬の回転力に合わせて入堀へと力一杯投げた。犬の重さと砂袋の重さが遠心力となり、骸を回していた巨漢の僧兵を堀の水面へと転落させた。

綾縄小僧の面目躍如である。

さらに二人目の骸回しを、自在に操る縄で入堀へと叩き落とすと、

「退《ひ》け、退却じゃぞ」

と小頭が残った配下に命を発した。

「手はそれだけか」

「借りは必ず返す」

無念げな声が答えた。

「怪我人《けがにん》、犬の骸の類《たぐい》は持ち帰れ、差し許す」

麻地色の一団は徒歩《かち》組と船組の二手に分かれて、富沢町から未明の闇に溶け込むように姿を消さんとした。

徒歩組を大黒屋の屋根にいた駒吉と筆頭手代の稲平《いなへい》の二人が屋根伝いに後を追い始め、犬の骸を船に回収した船組には大黒屋荷運び頭の大力の作次郎と配下の文次郎の尾行がついた。大黒屋の猪牙舟《ちょきぶね》での追跡だ。

「さてさてどこに戻るやら」

長煙管を口に咥《くわ》えた総兵衛が漏らした。

どこからともなく姿を見せた今宵の戦奉行の一番番頭の信之助が、

「小石川ではございませんので」

と問い返したものだ。

二人の主従が会話する大黒屋の店前では、戦衣から古着屋の奉公人のなりに姿を変えた一族の者たちが戦いの痕跡《こんせき》や犬の血の跡を手際よく消していく。

「その辺がな、いささか訝しい。過日駒吉をわざわざ小石川に誘い込んだような気がしてな」

と過日とは違う考えを披露した。

「信之助、あやつらはわざと駒吉に小石川付近まで尾行させ、最後には取り逃がした体を装ったのではないか」

「いかにもさよう、それで得心が行きます。つまりは他にあやつらの隠れ家があると申されるので」

「御三家の水戸様が怪しげな連中を出入りさせておるとなると、万が一の場合、城中で申し開きもできまい」

「いかにもさようでございますな」

主従は従兄弟同士だ。日中道端で出会った知り合いがよもやま話をしているような長閑《のどか》な話ぶりだった。

「徒歩組か船組か、どちらかが戻る先を突き止めてくれると、今後の策が立て易《やす》いのですがな」

「このところ小僧さんには半ツキじゃがツキがある」

「稲平と駒吉組があやつらの戻り先を突き止めてきましょうか」

「ツキがあるときは得てして物事はうまくいくものよ。それにしてもご老公もこの世にとんだ厄介事を残していかれたものよ」

総兵衛が呟き、大黒屋の通用口から屋内へと姿を消した。

店前に残った信之助が河岸道に砂を巻く奉公人の働きぶりを確かめていると、

「一番番頭さん、あとはお任せ下さい」

と三番番頭が言った。

四半刻《しはんとき》（三十分）後、大黒屋の奉公人たちが再び稽古着《けいこぎ》に戻ると、大黒屋を囲むロの字の中庭の地下にある鳶沢一族の大広間に姿を見せた。すると一番番頭の信之助が稽古槍を構えて、総兵衛を得意の三段突きで攻め立てていた。すでに槍と木刀の立ち合いはだいぶ前から続いているらしく、信之助の額には汗が光っていた。

一同は横目で二人の稽古を見つつ、自分たちの稽古に入っていった。

信之助の稽古槍が手繰られ、間を置くことなく、

「えいやっ」

と足を踏み込ませつつ、稽古槍の穂先が総兵衛の胸へと伸びた。

総兵衛の木刀が穂先に合わせたが、弾《はじ》くことはしなかった。ただ、穂先に合わせ、二段目、三段目の真の攻めに備えた。

信之助は、合わされた木刀をそのままに絡め取るように回した。

三段突きの信之助の巻き落としは変幻自在の合わせ技だ。

木刀と槍の対決では槍方のほうが間合いはある。その長所を利用して相手の得物を巻き落とすのだ。だが、総兵衛には利《き》かなかった。とはいえ総兵衛が信之助の内懐《うちぶところ》に入ることを信之助は許さなかった。

互いに手の内を知りつくした二人ならではの攻防だった。

この朝、半刻（一時間）ほど主従の稽古は続き、終わった。

「総兵衛様には三段突きも空を切らされるばかりにございますな」

「とは申せ、そなたは私が間合いに入ることを許さなんだ」

「総兵衛様がその気なれば、いつなりとも内懐に入ってこられましょうに」

「三段突きは玄妙ゆえ、そう容易《たやす》くはないわ」

満足げに言い残した総兵衛が神棚に拝礼すると隠し階段から居室に戻った。

するとおきぬがいつものように湯の仕度を終えていた。

総兵衛が主《あるじ》だけに許された朝湯の特権を享受《きょうじゅ》していると、脱衣場に人の気配がして、

「作次郎さんが戻って参られました」

と告げた。

脱衣場に入った気配の作次郎に、

「まかれてしもうたか」

「お許し下され。隅田川河口から海に出られて逃げられてしまいました」

「ほう、江戸の内海に出たとな。この節、内海は荒れておる。猪牙舟であの帆船をつけるのは無理じゃ」

「その上、三丁櫓《ろ》にございましてな、いささか相手を見くびっておりました」

と申しわけなさそうな作次郎の声がした。

「致し方ないが、作次郎、相手を見くびった咎《とが》軽からず、相応の罰を受けねばなるまいて」

「へえ、どのような罰にてもお受け致しましょう」

「裸になってわしの背中を流せ」

「へえへえ、容易きことにございますよ」

作次郎が冷や汗を掻《か》いた衣服を脱ぐ様子におきぬが眼を逸《そ》らし、主従の仲のよさを少しばかり羨《うらや》んだ。

「おきぬ、作次郎の着替えもな」

作次郎は鳶沢一族だが、大黒屋の奉公人としては船を使った荷運びが務めだ。ためにふだん主の総兵衛と顔を合わせる時が他の奉公人と比べて少ない。おきぬは総兵衛が信之助よりも年上の作次郎とかようなかたちで接する機会を作ったのだと気付いていた。微笑《ほほえ》ましいことと思ったおきぬが脱衣場から下がろうとしたとき、

「作次郎、かかり湯を被《かぶ》って汗を流せ」

という総兵衛の優しい声が聞こえてきた。

四

さらに大黒屋の奉公人の朝餉《あさげ》の刻限、筆頭手代の稲平が汗みどろで富沢町に戻ってきて、一番番頭の信之助に、

「一番番頭さん、江戸じゅうを引きまわされた挙句に昌平坂学問所付近でやつら二手に分かれ、私と駒吉がまずそれぞれを追い掛ける羽目にさせられました。

私は日光街道へと向かった一組を追い、駒吉は神田川左岸沿いの道を水戸様上屋敷方面とは反対に追いかけていきました。さらに私は駒込追分の手前、森川宿の加賀様の上屋敷と水戸様中屋敷付近で不意にちりぢりに逃げる相手の一人を追おうとしましたが、ちょうど加賀様の表門が開かれ、ご家来衆が制止する声につい惑わされて最後の一人を見失いましてございます」

こちらも申し訳なさそうに報告した。

「ご苦労でした。総兵衛様には私からお知らせします。稲平さん、湯殿で水を浴びて朝めしを食べなされ」

と稲平に応じた信之助がその足で奥に向かった。

総兵衛もおきぬの給仕で朝餉を食していたが、稲平の追跡失敗を聞くと、

「残るのは小僧さん一人ですか。相手方はわれらの追尾を念頭に万端整えたうえで富沢町を襲うたのです。そう簡単に尻尾《しっぽ》は出しますまい」

と答えたものだ。

「駒吉さん、功を焦《あせ》って深入りしないとよいのですが」

とおきぬが思わず案じ、

「近頃の駒吉は背丈がひょろりと大きくなりましたし、知恵も一人前についてきました。なんとのう、相手の戻る先を突き止めてくるような気もします」

信之助が期待をこめて応じた。

「さあてのう。小僧さん、今日は何処《どこ》までいったやら、ただ今の私はそんな気持ちです。ともあれ小僧の駒吉だけが頼みになりました」

総兵衛が信之助の言葉に呼応した。

駒吉が戻ってきたのは昼過ぎの刻限だった。

大番頭の笠蔵が眼顔で井戸端に行くように命じ、汗みどろの顔と手足を洗わせ、総兵衛の居間へと伴った。そこでは一番番頭の信之助が昨日の売り上げの報告を為《な》していた。怪我もなく戻ってきた駒吉の様子に、

「おお、小僧さん、戻ってこられましたか」

と上機嫌で総兵衛が応じたものだ。

「総兵衛様、番頭のご両人様、いささか相手に引きまわされましてかように戻りが遅くなりました。皆様に心配をかけて申しわけございません」

「丁寧なご挨拶《あいさつ》にございますな。それより首尾を報告なされ」

笠蔵が急がせた。

「大番頭さん、ただ今報告致します。あやつらがばらばらに分かれようとまた合流しようと、頭分と思える独りに狙《ねら》いをつけてひたすら愚直に喰らいついたのが功を奏しました、あやつらの隠れ家を見事に突き止めましてございます」

「ひたすら愚直にと来ましたか。小僧さん、どこでさような言葉を覚えられた」

「大番頭さん、私めの頭は大番頭様さんのお教えやお言葉を刻みこむことにもっぱら使われております。はい、すべて大番頭様さんの受け売りにございます」

駒吉が揉《も》み手をしながら答えた。

「駒吉にそのようなことを言われると、なにやらおちょくられておる気分です」

笠蔵のぼやきに笑った総兵衛が、

「駒吉、僧兵どもの塒《ねぐら》はどこか」

とずばりと尋ねた。

「はい。下谷御成街道をはじめあちらこちらに引き回されたあと、駒込追分に戻りました。さらに北へ八丁（約八七〇メートル）ばかり入った辺りの中里村に連れ込まれました。その竹林に囲まれた敷地の中に新義真言宗の修行寺がございまして、そこが墨染の衣の者を頭にした僧兵一団の隠れ家にございました」

「なに、新義真言宗とな」

「総兵衛様、別の宗派の寺に問い合わせましたところ、神田橋外の知足院に関わりがある修行寺にございますそうな。綱吉様と公方《くぼう》様の母御桂昌院様ご寵愛の隆光なる権僧正《ごんのそうじょう》の関わりの寺ということになります」

駒吉が得意げに言い切った。

「やはり隆光権僧正が親玉の知足院配下の僧兵、いや私兵どもでしたか」

笠蔵が頷《うなず》いた。

「うちを襲ったあと、三三五五といかにも托鉢《たくはつ》に出ていた風体で戻ってくる面々の様子は仏に仕える顔ではございません。どう申しますか、荒《すさ》んだ顔で、殺伐とした雰囲気を漂わしておりました」

ふっふっふ

総兵衛が小僧の駒吉の背伸びした物言いを笑った。

「主様、駒吉の報告が可笑《おか》しゅうございますか」

「これはすまぬ。いや、感心してのう、つい笑《わろ》うてしもうた。許せ、駒吉」

「主様に詫《わ》びを言うてもらうなど考えてもございません」

「駒吉、他に報告はございますか」

信之助が笑いを噛《か》み殺しながら尋ねた。

「一番番頭さん、その竹林の中の修行寺に忍び込むのはできぬ相談ではございませんでしたが、あの周辺の寺などに聞き込んだだけで、富沢町に戻りましてございます。あとは総兵衛様の命を受けてのことかと、この小僧思案致しました。ゆえに半端《はんぱ》な探索になったかと思います」

「いや、よい判断でした。下がって飯を食べ、少し仮眠なされ。許します」

「一番番頭さん、私の齢《とし》では一晩や二晩の徹夜は大したことではございません。ご膳《ぜん》を頂戴《ちょうだい》したら仕事に戻ります。ご一統様、これにてご免蒙《こうむ》り、失礼をば致します」

と最後までいささか大人びた言葉を残した駒吉が総兵衛の居室から姿を消し

た。

しばし無言で顔を見合わせていた三人だったが、

「駒吉め、ご一統様、これにてご免蒙り、失礼をば致しますとなんともばか丁寧な挨拶にございましたな。たれぞの言葉遣いの真似《まね》をしてござる」

笠蔵がこらえ切れずに声を上げて笑いながら言った。

「大番頭さん、ですが、駒吉の捉《つか》まえた尻尾はなかなか大きゅうございますぞ。公方様と桂昌院様ご寵愛の隆光権僧正の配下となれば、少なくとも隆光がこの鳶沢一族を眼の敵にしておるということがはっきりしたわけです」

「いかにもさよう。綱吉様、桂昌院様につながる隆光となると、難敵にございますな。亡《な》き光圀様が隆光の言動に注意を払われていた理由も得心できます」

笠蔵の言葉に信之助も緊張の体で答えた。

「さて中里村の修行寺に見張りをつけますか」

「おてつと秀三の親子を中里村界隈《かいわい》に奉公させることはできぬか」

と総兵衛が言った。

「あの界隈を縄張りにする担《かつ》ぎ商いを調べさせ、どこぞに入り込ませます」

信之助が請け合い、

「神田橋外の知足院と筑波山の寺にも探索を入れますか」

と総兵衛に尋ねた。

「いや、待て」

と最前の命を打ち消した総兵衛が煙草盆《たばこ》を引き寄せ、しばし考え込んだ。

「なんぞご懸念《けねん》がございますか」

「いや、駒吉が摑《つか》んできた中里村のことじゃが、ようも僧兵どもが未《ま》だ青臭い小僧の追跡を気付かなかったものよとな、いささか訝しく思うておる。あやつら、この富沢町を不意打ちする策が破れたとき、散り散りに逃げおった。当然、こちらの尾行をいちばん気にしたはずじゃ。他の者たちの尾行はまかれたが、小僧さんは見事に探り当てた。駒吉が僧兵どもをだし抜いたか、あやつらが駒吉を騙《だま》して中里村の修行寺に連れ込み、そちらをあやつらの棲《す》み処《か》と思わせたか、となな、迷うておる」

「過日の小石川の伝でございますな。いかにもその危惧《きぐ》はございます。駒吉は棲み処を摑んだつもりでおりますが、さらに別なる場所に饅頭笠どもは戻ったのかもしれませんな」

大番頭の笠蔵が言った。

「あれまあ、駒吉さんががっかりしましょうな」

と茶を運んで来たおきぬがそのことを気にした。

「まあよい。今晩にも駒吉の探索の正誤がはっきりしよう」

総兵衛が呟き、煙管の火皿に薩摩《さつま》産のきざみ煙草を詰め始めた。


その夜のことだ。

駒吉が二階の大部屋で眠り込んでいるとだれかに揺り起こされた。

「はっはい、もう起きる刻限にございますか」

「そうではありません。総兵衛様が待っておられる」

一番番頭の信之助の声に駒吉は、がばっ、と跳ね起きた。

「静かにせよ、皆は寝ておる」

駒吉は枕元《まくらもと》に畳んでおいたお仕着せを着た。何事があってもいいように綾縄
と呼ぶ鉤の手の付いた縄を懐にねじ込んで、そっと大部屋を出た。信之助はす

でに自室に戻ったか姿はなかった。

主の総兵衛の起居する離れ屋には灯かりが灯《とも》り、総兵衛とおきぬが待ち受けていた。

「駒吉、寝は足りておるか」

「総兵衛様、大番頭様の許しを得て昨日の昼間も仮眠しましたゆえ、もはや昨日の疲れは拭《ぬぐ》い去ってございます」

「さようか。ならば夜遊びに出かけようか」

総兵衛は腰に自慢の長煙管を差して立ち上がった。

おきぬの案内でロの字に囲んだ店蔵へと二人が渡り廊下を伝って廻り込み、蔵の一角から外へと通じた地下通路を使い、富沢町の大黒屋の西に位置する弥《や》生町《よいちょう》の古着商の小店に向かった。むろんこの小店も鳶沢一族の関わりの古着屋だ。そこには信之助がすでに先行していて、

「駒吉、そなた一人が総兵衛様の供です。気を配って御用を務めなされ」

と注意を与え、送り出した。

総兵衛は、ひたひたと無言で弥生町から入堀を千鳥橋で渡り、深夜の町屋を

西北へと向かった。

「総兵衛様、どちらに参られますので」

駒吉が思わず尋ねた。

「夜遊びと申したぞ」

「行き先が知れぬでは御用が務まりませんよ」

「ならば、そなたが突き止めた中里村に参ろうか」

「えっ、あの僧兵どもを総兵衛様と駒吉だけで襲うのでございますか」

「臆《おく》したか」

「臆したとは酷《ひど》いお言葉にございます。大黒屋の小僧駒吉は未だ真の恐ろしさを知りませぬが、富沢町の奉公に出た日から命を投げ出す覚悟はできてございます」

「ほう、なかなか潔《いさぎよ》い言葉じゃな」

「はい、本心にございます」

「よかろう。夜が明けぬ内にそなたが突き止めた僧兵どものねぐらの破《や》れ寺《でら》に案内せよ」

はっ、と畏《かしこ》まった駒吉の歩みが急に早くなり、総兵衛はその足の運びに悠然と従った。深夜の江戸の町をゆるゆると歩いているようで、その実飛ぶような速さで進んでいく。もし二つの人影を見た人がいたら、狐狸《こり》妖怪《ようかい》の類と思い、瞼《まぶた》を閉じて身を震わせたことであろう。

半刻ばかりの間に駒吉は昨日の夜明け前に突きとめた日光街道の駒込追分から八丁ばかり北に入った中里村の破れ寺に辿《たど》り着いていた。

富沢町からどれほどの距離があろうか。

二人は息も切らしていない。

総兵衛は破れ寺を月明かりで眺めた。

山門の屋《や》根瓦《ねがわら》は落ち、扉も傾き、長いこと使われていないことを示す破れ寺だった。この破れ寺を北へと進むと、新堀村から飛鳥山《あすかやま》へと連なる崖《がい》雪頽《せったい》に辿りつく。断層である。

「あやつども、欲も得もなく眠り込んでおるようにございます」

駒吉が物音一つしない破れ寺の様子に呟いた。

「眠り込んでおるのか、無住か。確かめてみようか」

「寺は何十年も前に最後の通いの住職がいなくなって無住にはなっていましたそうです。この数年、墨染の衣やら僧兵どもが饅頭笠《まんじゅうがさ》を手に出入りしておると聞き及んでおります。忍び込むにはそれなりの仕度がいろうかと存じます」

「さようか」

総兵衛が石段を上がって傾きかけた山門の扉を押すと、ぎいっと蝶番《ちょうつがい》が軋《きし》んで扉が開かれた。

「そ、総兵衛様、お静かに。奴《やつ》らが眼を覚まします」

駒吉は懐に隠した唯一《ゆいいつ》の得物の綾縄に手をかけた。

僧兵の面々は、総勢二、三十人はいると見たほうがいい。

主の総兵衛は祖伝夢想流の達人だが、素手だった。

まさか総兵衛がいきなり饅頭笠の棲み処に踏み込むとは、夢にも考えなかった駒吉は慌《あわ》てた。

一方、総兵衛は平然とした様子で本堂へと伸びた参道を進んでいく。主だけを敵地に送り出すわけにはいかないと、駒吉は覚悟をして従った。

「駒吉、人の気配があるやなしや」

「えっ」

「頭巾《ずきん》に饅頭笠の僧兵どもはどこにおる」

「ですから破れ寺の庫裏《くり》なぞに埘がございましょう」

「そなたがそう思うなれば探ってみよ」

「私めが独りでございますか」

「そなたの外にはわししかおらぬわ」

恨めしそうに総兵衛を見た駒吉は忍び足で本堂への階段を上がろうとすると手入れの為されていない踏み板がぎぎいっ、と鳴った。

身を竦《すく》めた駒吉が、総兵衛を振り返ると、腰に差した自慢の長煙管を出した主が、

「駒吉、どこぞで火種を捜してこよ」

と長閑な声で命じた。今はそのような時ではございませんと、反論しかけたが主の命は絶対だ。

「はっ、はい」

と小声で応じた駒吉が手にした綾縄を解《ほど》き、頭上に走った梁《はり》に鉤の手を絡み

つけ、ぐいぐいと引っ張ると縄に身を浮かせて回廊にふわりと飛び下りた。だが、回廊の板が腐っていたと見え、駒吉は片足を踏み抜いたがもう一方の足に力を入れて、なんとか踏み止まった。それでも大きな音が響き渡った。

(そ、僧兵どもに気付かれたか)

しばらくその姿勢のままに気配を窺《うかが》ったが、駒吉が立てた音に気付いた者はいそうになかった。

「駒吉、なにをしておる。火種と申したぞ」

「ただ今は敵地にございますればしばらくのご辛抱を」

「敵地な、だれかおるか」

「えっ、それはもう僧兵どもが」

「その気配があるか。この寺は無住じゃ、僧兵どもの影もかたちもなかろうが」

「そのようなことがあろうはずもございません。昨未明、私はこの破れ寺にあの者たちが入っていったのを確かに見ております」

「ならば探せ。煙草の火種を忘れるな」

総兵衛に警戒の様子はさらさらなく、ふだんの声音で命じた。

駒吉はしばし立ち竦んでいたが、本堂への扉を押し開いて中を見た。

漆黒の闇《やみ》に一つ、燈明《とうみょう》が小さく灯されていた。だが、人の気配はどこにもない。

「なんてことが」

駒吉は燈明を手にして破れ寺を見て回ったが、どこにも人が住み暮らす様子はなく、ただ森閑としていた。

「総兵衛様、どういうことにございますか」

本堂から愕然《がくぜん》とした駒吉が姿を見せ、総兵衛が、

「まずは煙草の火を貸せ」

と駒吉が持った燈明を催促した。一服美味《うま》そうに喫《す》った総兵衛が、

「小僧さんや、饅頭笠の僧兵の一団の猿芝居に二度とも騙されて引き回されたのよ」

と駒吉に呟いたものだ。

「そんな、あやつら、私が尾行していることを承知でこの破れ寺に連れ込んだ

のでございますか」

総兵衛が新たに煙管《きせる》を吹かすと火口の刻みがぽおっと赤くなり、総兵衛の顔が浮かんだ。

「駒吉、この破れ寺のことを別の寺で聞き込んだと申したな。そこへ連れていけ」

「そちらがあやつらの真の隠れ処にございましたか」

愕然と肩を落とした駒吉がそれでも気を取り直して、中里村の岨雪頽近くの寺へと総兵衛を案内していった。すると深夜の中里村に謡曲の調べが聞こえてきた。

「春とは名のみ、未だ寒き夜半の中里村で謡曲とは妖《あや》しやな。そなたが問い合わせたという寺か」

「いえ、私が破れ寺のことを尋ねたのはもそっと飛鳥山に寄った辺り、あの調べは光明院持の白鬚《しらひげ》社の境内かと思います」

駒吉は昨日この界隈を歩き回ったのか、辺りを承知していた。

月が雲に隠れ闇の中を総兵衛は謡曲の調べを頼りに歩いていった。それは水戸光圀が忠臣だった藤井紋太夫を刺殺する直前に舞った能『千手《せんじゅ》』の謡《うたい》だった。

白鬚社は中里村と接した田端村崕雪頽にあって、北側低地に広がる田端村、上尾久《かみおぐ》村、中里村を見渡せる高台にあった。

総兵衛と駒吉が境内に入っていくと篝火《かがりび》に能舞台が浮かび、六尺豊かな墨染の衣が舞っていた。

総兵衛らを認めたか、手を饅頭笠の下に翳《かざ》して見ると、

「そこにおわすは大黒屋総兵衛どのじゃな。いや、鳶沢総兵衛勝頼どのと呼ぼうか」

と問うてきた。

「いかにも大黒屋総兵衛にござる。それがしを招いた魂胆を聞こうか」

総兵衛の言葉遣いは鳶沢総兵衛勝頼のそれであった。すでに相手は総兵衛の裏の貌《かお》と正体を承知していた。

「すでに伝えた」

「ご老公が藤井紋太夫を誅殺《ちゅうさつ》なされた日、舞われた『千手』となれば藤井一族か。いや、そうではあるまい。ご老公は紋太夫を刺殺なされたあと、紋太夫の

遺児男子二人は出家させ、娘二人は縁づくとも奉公するとも勝手次第と寛容な沙汰《さた》を下された。となれば、藤井紋太夫の遺族の意に非《あら》ず、紋太夫がご老公の院政を牽制《けんせい》することを願った者の仕業と見た」

「水戸光圀様亡きあと、あの一件の真の理由《わけ》を知る者はそなた一人じゃ」

「それがしの口を塞《ふさ》ぐというか」

「総兵衛、そなたの心がけ次第。水戸光圀様の死によってすべては終わった。そなたも忘れよ」

「この総兵衛、いささかへそ曲がりでな」

「楯突《たてつ》くというか」

「この戦、そなたらが仕掛けたこと」

「大黒屋総兵衛、百年の悔いを残すぞ」

「さあてのう。そなたの背後に控える大和国生まれの生臭坊主に伝えよ。大黒屋総兵衛に脅しは利かぬとな」

「おろかやなおろかやな、大黒屋総兵衛、おろかやな」

と謡いつつ、饅頭笠に墨染の衣の男が能舞台の一角へと摺《す》り足で進み始めた。

その先は、田端村崕雪頽下の闇に包まれた低地の虚空だ。その者は訝しくも一本足駄を履いていた。

「総兵衛様」

駒吉が得意の鉤の手の付いた綾縄を回して、墨染の衣に饅頭笠の者を引き止めるかと聞いた。

「止《や》めておけ」

と制した総兵衛が、能舞台の端から一歩足を踏み出した演者に、

「そなた、波呂路《なみろ》隆角《じりゅうかく》であったな」

と言い掛けると、

「どうとでも思え」

と答えたその巨軀《きょく》はすでに虚空に浮いて、一歩また一歩闇の虚空を進んでいく。

二人の傍らに人の気配がした。

「あっ、一番番頭さんだ」

駒吉は信之助が鳶沢一族の者を率いて、総兵衛を陰警護してきたことに初め

て気付かされ、驚いた。

不意に夜空に稲妻が走った。すると田端村低地の上に浮く波呂路隆角が虚空に片足を持ち上げ、
とーん
と下ろすと稲妻も隆角の姿も消えて、闇が戻ってきた。

「あやつらを野放しにはできぬ」

「それがご老公の遺言にございますか」

と信之助が聞いた。

「われらがわれらの使命を果たすために消えてもらわねばならぬ」

「畏まって候《そうろう》」

と鳶沢一族の忠臣が応《こた》えていた。

総兵衛は水戸光圀が『千手』を舞ったあの日のことを思い出していた。

第四章　呼び出し

一

元禄七年（一六九四）二月二日。

六十七歳の光圀《みつくに》は西山荘を出るとわずかな供を従え、水戸城経由で湊《みなと》御殿に入った。

その日の夕暮れ、那珂《なか》湊に鳶沢丸《とびさわまる》が姿を見せて二十一歳の総兵衛勝頼《かつより》が湊御殿に三晩ほど滞在した。光圀が総兵衛を招いたのは那珂湊日和山《ひよりやま》北側中腹、大海原を見ることのできる湊御殿の茶室であった。

光圀は久しぶりに会った総兵衛にいきなり胸中の懸念《けねん》を切り出した。

「総兵衛、水戸家家臣藤井紋太夫が道三河岸《どうさんがし》をたびたび訪れる理由はなにか」

「さてそれは、柳沢様の藩邸に忍び込むことを私めが配下の者に許しておりませぬゆえしかとは分りかねます」

「鳶沢一族ならば遠眼鏡を使《つこ》うてでも屋敷でなにが話しあわれているかくらい承知していよう」

「推量でも宜《よろ》しゅうございますので」

「申してみよ」

「藤井紋太夫様、ご老公様ご隠居のあと、御三家水戸様の地位低下を憂《うれ》えて柳沢保明《やすあきら》様に懇《ねんご》ろなお付き合いを求めておられるのではございませんか」

「綱吉様の側用人《そばようにん》め、予に代わる力を持つや」

「柳沢様は綱吉様のご寵愛《ちょうあい》を受け、家禄《かろく》百六十石から始まってつい先月には武蔵《むさし》国川越城主にまで任ぜられ、老中待遇の御側用人の力は今やご老中を凌《しの》ぐほどにございます。さようなことはご老公様に申し上げるまでもなきことにございましたな」

「綱條《つなえだ》は紋太夫の勝手を知らずか、それとも見逃しておるのか」

「さあてそれは」

「言わぬか、総兵衛」

「綱條様は紋太夫様の行動を承知の上で黙認なされておられるかと存じます」

「なぜか」

「ご老公様のご隠居のあと、江戸での水戸様の地位の凋落《ちょうらく》はだれの眼にも明らかでございましょう。また、水戸藩邸ではご老公様をお慕いする家臣と高松藩から水戸家に養子に入られた綱條様に随身してきた家臣団が中心になった綱條様派とが対立し、混乱が随所に見られます」

総兵衛が報告したようなことはすでに光圀はとくと承知していた。

「紋太夫が道三河岸を訪ねた折、綱吉様の柳沢屋敷お成りと重なりしことありやなしや」

「二度、いえ、三度ほどございます」

「曖昧《あいまい》な返答よのう」

「綱吉様の道三河岸お成り自体が公《おおやけ》にされておりませぬゆえ、かような返答になりましてございます」

「わが水戸家家臣藤井紋太夫が綱吉様にお目にかかったと考えてよいな」

「綱吉様が儒学を講じられる場に藤井紋太夫様が加わっておられたのは確かでございましょう」

総兵衛の報告に光圀が沈思した。そして、

「総兵衛、紋太夫は水戸の凋落を食い止めるべく柳沢保明に、いや、綱吉様に頼ろうとしておるのか」

「そのご判断はご老公様ご自身が為《な》されませ」

光圀が首肯すると再び沈思した。

「藤井紋太夫様の日常、われら鳶沢一族が知り得たかぎりこの書付に逐一記してございます。ご判断のよすがに為されませ」

総兵衛が持参したぶ厚い書付を差し出した。

「ふむ」

と返事して受け取った光圀がぱらぱらと書付をめくり、

「総兵衛、そなたの口と書付ではだいぶ違いがあるのう」

「はてさような違いがございましょうか」

書付を傍らに置いた光圀が、

「茶を一服進ぜる」

「有り難き幸せにございます」

この湊御殿滞在中、光圀と総兵衛のやり取りが緊迫の色を見せたのはここまでで、その後は祖父と孫のように睦《むつ》まじく談笑し、四日には鳶沢丸に光圀が乗船して大海原へと乗り出したりして時を過ごした。そして、五日の早朝には那珂湊から特異な船影が掻《か》き消えていた。

鳶沢丸が那珂湊から姿を消した翌々日の七日に西山荘に戻った光圀は、隠居暮らしの日々を再び始めていた。

総兵衛一行が鳶沢丸で江戸に戻った数日後、江戸に一つの騒ぎが起った。

二月十一日、伊予西条藩家臣菅野六郎左衛門が、同藩の村上庄左衛門ら三人の兄弟と、江戸外れにある幕府弓馬訓練所高田馬場にて遺恨による果たし合いを行なった。

一対三の果たし合いに深傷《ふかで》を負いながらも戦う菅野に助っ人が現われた。知り合いの中山安兵衛である。二十五歳の安兵衛は村上三兄弟を斬《き》り果たし、一躍江都に剣名を上げることになった。

総兵衛は小僧の駒吉が届けてきた読売に目を落した。そこには中山安兵衛の履歴が記されてあった。

安兵衛は、越後新発田《えちごしばた》藩に仕えた父の弥次右衛門が城中失火の責めを負わされて藩を追われたのち、中山家再興を企て江戸に出て直心影流の堀内源左衛門の門を叩《たた》いて弟子になり、剣技を磨いたという。

やがて同門の菅野と知り合い、四十歳の年の差にも拘《かか》わらず、親交を深め、「伯父・甥《おい》」の契《ちぎ》りを交わすに至った。

故《ゆえ》に高田馬場の決闘に助太刀を買って出て駆け付けたのだ。

しばし読売を熟読していた総兵衛がふと顔を上げ、廊下に小僧の姿を認めた。

「駒吉、まだおったか」

「はい。もしやなんぞご用命があるかと存じまして」

その言葉を聞いた奥向きの女中おきぬが声もなく笑った。それを見て駒吉は、

「おきぬ様、なんぞ可笑《おか》しゅうございますか」

と糾《ただ》した。

「これは失礼をば致しました。ご用命などと鹿爪《しかつめ》らしく小僧さんが言われるものですから、つい笑ってしまいました。ご立腹でございますか、駒吉さん」

「小僧にご立腹などという言葉は可笑しゅうございます」

二人の問答を聞いていた総兵衛が、

「駒吉、この果たし合い、どのような遺恨があってのことか調べてみるか」

と言い出し、

「はっ、はい」

と駒吉が勇んだ。

「当事者の菅野様も村上三兄弟も亡《な》くなったというで、仔細《しさい》は分らぬかも知れません。じゃが、かようなご時世です。遺恨がお上と関わりがあるかないか、新発田家の家中の揉《も》め事なればそれまでにしなされ」

と命じられた駒吉が、

「早速のご用命、駒吉有り難き幸せに存じます」

と深々と頭を下げるとその場を去っていった。

堪《こら》えきれずおきぬが声を出して吹き出した。


十数日後、駒吉が再び総兵衛の居所の離れ屋に顔を出した。

そこでは大番頭の笠蔵、一番番頭の信之助が上方から入ってきた古着と、京から齎《もたら》された新古着の数量や中味を総兵衛に報告していた。

新古着とは京友禅など二、三年前の反物で仕立てた絹物でだれも袖《そで》は通してないが、

「旬《しゅん》外れの品」

のことであった。新古着という名目で古着商が扱うことが奉行所に黙認されていた。後年、この新古着の扱いを巡って大黒屋に未曾有《みぞう》の危機が訪れるのだが、この時期はその取締はゆるやかだったのだ。

「おや、ご用談中にございますか」

「駒吉、えらく丁寧な言葉遣いですな」

「大番頭さん、駒吉、常々粗雑な言葉遣いには気をつけるように心がけてございます」

「それはよいことです。で、そなたの用事はなんですな」

「いえ、過日、総兵衛様から命じられた野暮用にございます」

「野暮用ですとな」

と笠蔵が総兵衛を見た。

「いや、高田馬場の果たし合いの遺恨とやらを調べさせたのです。で、駒吉、分りましたか」

「総兵衛様、ご賢察のとおり果たし合いの当事者が亡くなっておりますれば、なかなか摑《つか》み得ません。お屋敷近くの口入屋の話では一柳直盛《ひとつやなぎなおもり》様が六万八千六百石で西条に移封になり、その赴任途中の大坂で急死なされた。その遺領のうち、三万石を嫡子《ちゃくし》長重様が拝領して立藩したのが西条藩新発田家でございます。ところが三代目の直興《なおおき》様の代になりますと参勤遅参、役目不行届などの不祥事がしばしば起り、寛文五年に除封となり、幕府領になったこと以来の因縁が果たし合いの原因とか、女子《おなご》を巡る騒ぎとか諸々《もろもろ》聞かされましたがしかとは分りません」

「小僧さん、亡くなった菅野様は六十五歳と聞いております、それが女子を巡っての果し合いですか」

「おや、大番頭さん、六十五歳ではもはや女子に懸想しませんか」

「黙らっしゃい」

と笠蔵が駒吉におちょくられていると感じたか憤慨した。

「大番頭さん、小僧さんの報告はまだあるようですよ」

とおきぬが注意した。

「あればさっさと言いなされ」

「高田馬場の決闘で一躍武名を上げた中山安兵衛様にございますが、赤穂《あこう》藩主浅野内匠頭長矩《たくみのかみながのり》様の家臣堀部弥兵衛金丸《あきざね》様に乞《こ》われて婿《むこ》養子が決まったそうにございます」

「ほう、このご時世浪人が仕官など叶《かな》うことはまずありますまい。中山様は高田馬場で運を招き寄せられましたかな」

と総兵衛が呟《つぶや》いた。

だが、後に鳶沢一族が中山安兵衛の仕官した赤穂藩と関わりを持つことになるなど総兵衛らは、この折は努々《ゆめゆめ》思いもつかなかった。

浅野内匠頭が城中での勅使供応の作法について教えを乞うた高家吉良上野介《きらこうずけのすけ》に城中で刃傷《にんじょう》に及び、浅野内匠頭は切腹、赤穂藩浅野家はお取潰《とりつぶ》しとなって、その一年後、取潰された赤穂藩の残党大石内蔵助《くらのすけ》らの江戸入りを鳶沢一族が助けることになる。

だが、この話は何年も先の話だ。

「駒吉、この話はもはや調べなくともよろしい。ご苦労でした」

総兵衛は駒吉を下がらせ、この話は七年後に再燃するまで忘れられた。

そのような最中にも、頻繁に西山荘へ富沢町の古着屋総兵衛の書状が届けられた。

二月二十八日、光圀は将軍綱吉の命に応じて西山荘をあとにした。隠居した元禄三年から四年ぶりの江戸訪問であった。

医者でもある儒学者井上玄桐らわずかな侍臣を伴っただけの道中で、出立は辰《たつ》の刻（午前八時頃）であった。

「西山ヨリ笠間ヲ経テ江戸ニ至リ玉フ、木綿ノ羽織ニ頭巾《づきん》ヲ深ク冠《かぶ》リ玉ヒ、木綿ノ麁《あら》ナル股引《ももひき》ヲハカセ玉フ、扈従《こしょう》ノ諸臣ハ数町ヲ隔テ後ニアリ、城下ノ吏人モ曾《かつ》テ公ナルコトヲシラス」

と『水戸紀年』に記されたほどの密行であった。

ために木綿ものをきた老人が水戸の宰相であった者とはだれも気付かなかった。

この日の内に笠間に着き、稲荷《いなり》神社を詣《もう》でて祭祀《さいし》料を奉納し、その夜は笠間に宿泊した。

光圀は江戸へ便利な水戸街道を通らず結城街道を選んでいる。

笠間稲荷で祈願するためであっただろうか。

次の日、光圀は筑波山麓《さんろく》を抜けて水戸街道土浦城下に出ようと考え、結城街道と水戸街道を結ぶ脇《わき》往還を辿《たど》った。相変わらず年寄りの独り旅を装《よそお》い、従者らは数町あとに従っていた。

長閑《のどか》な道中は夕暮れに差し掛かり、水戸街道はまだはるか東にあった。

杖《つえ》を突いた光圀の足が止まった。

行く手に野地蔵が立つ三俣《みつまた》があり、その背後に雑木林があった。さらに筑波山の山影が傾いた西の陽射《ひざ》しを受けて浮かび上がっていた。

「西の富士、東の筑波」

と称される山容であった。

「いささかのんびりし過ぎたか」

光圀が呟き、再び足を運び始めた。

この夜、筑波山参りの門前町にある江戸屋に宿泊する予定だったが、だいぶ予定の刻限が過ぎていた。

不意に雑木林から殺気が立ち昇った。

光圀の前に立ち塞《ふさ》がった影があった。

饅頭笠《まんじゅうがさ》を手にした麻地色の僧兵姿の一団だ。

「なんぞ年寄りに用か、路銀とてさほどは持ち合わせておらぬぞ」

十数人の僧兵の一団から一人、色違いの墨染の衣を纏《まと》った饅頭笠が姿を見せ、

「水戸光圀様とお見受けいたす」

と尋ねた。

一本足駄を履いていた。歯の高さが五寸（約一五センチ）はありそうな、ために大入道のように見えた。

「ならばなんとする」

「お命頂戴《ちょうだい》いたす」

「綱吉様のご生母桂昌院様には新義真言宗の隆光権僧正《りゅうこうごんのそうじょう》とやらに過剰なる帰依《きえ》を致し、綱吉様にお世継ぎがお生まれにならないのは、前世で殺生を多く行った報いなどと妄言《もうげん》を連ねて、桂昌院様ばかりか綱吉様も操っておるそうな。そのほうら、綱吉様の命で将軍家の祈禱《きとう》寺の筑波山知足院の権僧正に任じられた隆光一派とみたが違うか」

「それを承知でこの脇往還を水戸光圀様は通られた。そなた様のご運が尽きるところじゃ」

「そのほう、名はなんという」

「波呂路《なみろ》隆角《じりゅうかく》」

「ふっふっふふ」

光圀が含み笑いをした。

「供もなく光圀が独り旅をすると考えたか」

「あとに従う者らは足止めを食ろうており申す」

「残念かな」

「筑波山がそなた様の墓所にござるよ」

波呂路隆角が一本足駄でひょいと虚空《こくう》に飛び上がり、不敵にも野地蔵の頭の上に留まった。

「それ」

と波呂路が手にした錫杖《しゃくじょう》を振った。すると僧兵の一団が杖《じょう》から仕込刀を抜き、光圀へと猛然と走り寄った。

その瞬間、三俣付近に弓弦《ゆづる》の音が重なって響いて、殺到する僧兵の一団のうち半数が一瞬の裡《うち》に斃《たお》された。

「な、なにやつ」

答えはなく再び弦音がして野地蔵の頭に載った波呂路隆角に向って、矢が飛んだ。

ひょい
と避《よ》けたが虚空に飛んだ波呂路の一本足駄に矢が突き立ち、足駄の片方を飛ばした。

「おのれ」

波呂路が枯れ田に飛び下りようとしたが、片方の足駄では支えきれず転がった。

「もはや待ち伏せの奇策は潰《つい》えた。こたびは見逃す」

光圀の言葉にかぶさるように、

「ご老公、お怪我《けが》はございませんか」

と数町あとに従っていた井上玄桐らが叫びながら走り寄る姿が西日に浮かんだ。

「退《ひ》け」

「波呂路とやら、矢傷を負うた者どもを引き下げることを許す」

光圀の言葉に僧兵の一団が消えた。

それを見ていた光圀が、

「退屈はせぬ道中になりそうじゃ、総兵衛」

と呟き、その声に呼応するように雑木林や畦道《あぜみち》に伏せていた短弓の一団が夕《ゆう》闇《やみ》に紛れて消えた。

総兵衛らが初めて麻地色の僧服と頭巾の僧兵を見た日のことだ。

光圀は筑波山門前町の江戸屋に到着するまで、いや、江戸まで総兵衛配下の鳶沢一族が密《ひそ》かに陰警護をなすことを承知していた。

「ご隠居様」

とようやく安積《あさか》らが光圀に追いついてきた。

「なにやつでございますな」

「なにがじゃ」

「なにがとは、これはしたり。ご隠居様を襲うた面々にございます」

「安積、そなた、眼が悪うはないか」

「どういうことでございますな」

「筑波山の日暮れを見ておっただけじゃ。見よ、西日に浮かぶ筑波山は富士にも引けはとらぬな」

「さような戯《ざ》れ言《ごと》を申されますな。われら、坊主《ぼうず》どもに足止めを食らわせられておりましたぞ」

「ほう、どこにおる」

「それが、何処《どこ》からともなく飛来した矢に倒され、逃げ去ってございます」

「安積、黄表紙の読み過ぎではないか。それよりいささか遅れておる。早《は》よう江戸屋に参らねば今晩は野宿となるぞ」

と言った光圀が三俣からすたすたと歩き出した。

光圀の最後となった江戸行は、四泊五日の旅となった。

陰警護を務めた総兵衛一行は江戸の小石川水戸藩邸に光圀が入るまで厳重な警戒を解かなかったが、波呂路隆角が率いる僧侶《そうりょ》集団は二度と姿を見せることはなかった。

光圀一行が小石川の藩邸に到着したのは三月四日、戌《いぬ》の刻（午後八時頃）であった。

光圀は水戸から江戸までの行程を歩き通した。井上玄桐の、

「水戸より光圀様ご到着」

の声に藩邸の表門が開かれるのを待つ間、光圀は歩いてきた夜の闇を振り向くと、小さく手を上げた。

陰警護を務めた鳶沢一族への光圀なりの感謝の行為と思えた。

総兵衛らは光圀一行が藩邸へと消え、表門が閉じられるのを待って富沢町へと戻っていった。

総兵衛は、帰路こたびの綱吉様のお呼び出しには何か隠された企てがあり、光圀はそれを承知した上での参府であるかと改めて考えた。

二

江戸に幕府が開かれて九十年余、元禄を迎えて江戸は大いに消費が増えて活況を見せていたが、江戸はあくまで消費都市であり、生産都市ではなかった。物づくり、また物流の大半は経済先進地帯の上方に頼り、とくに諸国からの物資集散地の大坂から菱垣《ひがき》廻船に積まれて、

「下り荷」

として江戸に入ってきた。下り荷は品《しな》がよいことの代名詞でもあったのだ。

上方ものが現在でいうブランドものであったのだ。かような、

「上方が物をつくり送り出し、江戸が消費する」

形態は十七世紀後半まで固定化されてきた。

だが、この当時、江戸は商いの発展とともに消費型の都から自立した都市へと変化しようとしていた。

そんな最中、ある難題が諸問屋を脅《おびや》かしていた。

各地から物資が江戸へ大量に運び込まれ、その運送途中での海難事故が頻発したのだ。それればかりか難船、難破と偽って船頭たちが船荷を不正に横領することも加わった。

送り荷主の大坂の荷主問屋の被害は甚大なものとなった。

一方、江戸の従来の荷受け問屋は着いた荷をさばくだけだから、被害はなかった。

しかし、江戸の商いの発展とともに江戸の問屋はただ大坂から荷を受けているだけでは客の求めに応じられなくなり、注文を受けて仕入れる仕入問屋に変《へん》

貌《ぼう》せざるを得なくなってきた。むろん仕入問屋の方が利幅は大きいが損害を負う可能性が高まった。

ために上方から江戸への菱垣廻船の海難事故、不正横領は江戸の仕入問屋の損害として商いを圧迫するようになった。そこで上方から海上輸送される品の同業組合が結束して多発する海難事故等に対処することになった。

呼びかけ人は江戸通町の問屋大坂屋伊兵衛であった。

この呼びかけに応じて、塗物問屋、小間物・太物を扱う通町組、綿店組、薬種問屋、紙・蠟燭《ろうそく》を扱う紙店組、酒店組、畳表・青莚《あおむしろ》を扱う表店組、水油を扱う川岸組の八つの問屋組がまず名乗りを上げ、さらに後に絹布・太物・小間物などを扱う内店組、釘《くぎ》・銅・鉄類を扱う釘店組が加わり、十組問屋を形成した。そこで各組ごとに当番行事が置かれ、全体の大行事が置かれて、事の対処にあたることになった。

だが、古着商は十組問屋から外れた。

古着商に対しての統制は、万治元年（一六五八）に最初に行われた。

町奉行所が古着商の人数を数え上げることを町内ごとに命じ、一人につき一か年一両ずつを徴収する代わりに鑑札を与えた。以後、無鑑札の古着商は禁止された。

この当時、江戸にはおよそ五百店の古着商いがあった。

さらに天和四年（一六八四）の町触れにより古着、古道具の売買を始めるときは保証人を立てることという一条が決められた。

かような町触れが、のちに、質屋、古着屋、古着買、古道具屋、唐物屋、小道具買、古鉄《ふるがね》屋、古鉄買の八品商売人を厳しい町奉行所監督下におく制度に発展していく。

富沢町で古着商を続ける大黒屋総兵衛は古着商の中でも別格で、

「大黒屋は古着屋にありて古着屋でなし」

と町奉行所でも代々言い伝えられ、表立っては古着屋総兵衛とはぶつからぬようにしてきた。

この十組問屋の組織化が起ったとき、大坂屋伊兵衛から話があった。

話を聞いた大番頭の笠蔵が一番番頭の信之助を伴い、総兵衛に会うとこの十組問屋加入の一件を報告した。

「総兵衛様、うちの仕入れもまた大坂からその大半が参りますが、京ものなど高値の品はうちの持ち船で運んでおりますゆえ、これまで被害は二件に留まっております。古着商いを組合にして損を守るのも一つの策ではございますが、いかがいたしましょうか」

「大番頭さん、うちの他に上方から一定数の品を仕入れているのは何軒でしたかな」

と総兵衛が念を押した。

「うちを入れて富沢町の名主が二人か三人でございましょう」

「大半の江戸の古着屋は私どもの仕入れの品に頼っておるというわけだ」

「いかにもさようです」

総兵衛はしばし沈思して、

「この話、奉行所からなんぞ言ってきておりますかな」

「いえ、それはございません」

「止《や》めておきましょう」

と総兵衛が判断を示した。信之助が頷《うなず》き、

「うちが船を所有していることを奉行所はおよそ承知しています。殊更《ことさら》刺激してもなんの得にもなりますまい」

「いかにもさようでした。ならば私の方から大坂屋伊兵衛様には丁重にお断りしておきます」

と笠蔵が言い、この件はそれで収まった。

「江戸入りなされておよそ二十日が過ぎましたが、水戸のご老公はどうなされておられましょうか」

大黒屋の総兵衛の居室で、笠蔵が総兵衛に尋ねた。

総兵衛も直《じか》に会うことは控えていたが、使いを通じて互いが近況を報告し合っていた。

「光圀様は近々小梅村のお屋敷にお移りになられるそうな」

「総兵衛様、小石川藩邸になんぞ不都合が生じておりますか」

信之助がやや案ずる風に訊いた。

「綱條様が水戸藩を掌握しておられないことは確かのようです。ゆえに光圀様としては腹立たしいかぎりでおられましょう。されど口にすれば自ら連枝《れんし》の高松藩からの養子を水戸家三代目として入れた綱條様の面目を潰すことになりますし、また己の判断が疑われることになります。そこであれこれの不快事を見ぬように、小石川藩邸から小梅村の抱屋敷に移りたいと心に決められたのでしょう」

「こたびの出府は綱吉様の命にございました。綱吉様とはいつお会いになられるのでございますか」

「四月十五日と決まったとご老公が記されてきました」

しばし沈黙が座を支配した。

御三家の長老光圀が綱吉の発した「生類憐みの令」に激しく反意を示していることを綱吉も重々承知していた。だが、この稀代《きたい》なる触れ以前に光圀と綱吉の間には大きな障害が横たわっていた。

綱吉の後継ぎに対してである。

綱吉には息女鶴姫《つるひめ》と館林《たてばやし》藩を継がせていた徳松の一男一女がいた。

将軍に就任六カ月後の延宝八年（一六八〇）十一月に、二歳の徳松を江戸城西ノ丸に移して世子と定めた。

この折、光圀は、甲府の綱豊《つなとよ》を綱吉の養君にし、綱豊の養君に幼い徳松をと主張した。さすれば綱豊が六代目、徳松が七代目の将軍になり、万事がうまくいくと考えた。

だが、綱吉は聞き入れなかった。

翌天和元年七月に綱吉は鶴姫を紀州和歌山藩の嫡子綱教《つなのり》に嫁がせることにした。五歳の花嫁と十七歳の花婿だ。

この折、綱吉は三家を呼び、鶴姫が幼少ゆえ綱教を藩邸から江戸城二ノ丸に引き取りたいがどうかと下問した。

この提案に対して光圀が、

「姫君幼少と申せどお付きの者もあるべし、藩邸でのご成長なんら気遣いなし」

と反対し、綱吉に異を唱えてこの話は沙汰《さた》やみになった。

将軍綱吉にとっては光圀の反対で己の意向が実現しなかったのであり、このことが傷として残ったことは容易に察せられる。

そんな綱吉に不運が襲った。

天和三年閏《うるう》五月、徳松が五歳で病死し、館林藩は消滅する事態になった。

その騒ぎがまだ落ち着かないころ、側衆牧野成貞《なりさだ》は三家列座の場で、

「上様にはご世子なきゆえ養子の件を相談致したし」

と話を持ち出した。

当然牧野は綱吉の意を受けての発言だ。

「牧野どの、上意か」

光圀が糾《ただ》した。すると牧野が、

「そうではございませぬ。自分一存の了見にござる」

と答えた。

「ならば申す。綱吉様は未《ま》だお若いゆえ、若君誕生の可能性は大いにあるべし。それが叶わずば甲府の綱豊どのがおられ、それがお気に召さないとなれば尾張に綱誠《つなのぶ》どのがおられる。さらにそのおあとには和歌山の綱教どのが控えておられる。それでもと申されるならば、不器量ながらわが倅綱條《せがれ》もおること、いずれにせよ、ただ今即刻養子決定というのは時期尚早であろう」

と反対した。

正論である。

御三家とは将軍の万が一に備えているのだ。それが分かった上で光圀がいちばんに名を上げた綱豊には光圀の考えが色濃くこめられていた。

四代将軍家綱の跡継ぎは次弟綱重（家光の三男）が就くべきところ延宝六年に三十五歳で死去したために、綱重の弟の綱吉が五代将軍に就任した。

となれば、次代は、綱重の長男である綱豊でなければならない。綱吉の嫡子五歳の徳松を次々代の将軍とせよと光圀が反対した理由だった。

列座の中で光圀が甲府の綱豊を真っ先に上げた理由であり、これが、

「人倫の大義」

をとる光圀の序列であった。

綱吉にとって光圀は世継ぎの悉《ことごと》くに異を唱えてきた人物だ。その光圀が隠居し、もはや江戸で綱吉に逆らう者などいなかった。

その光圀を江戸に呼んだ綱吉の真意は那辺《なへん》にあるのか。

「総兵衛様、城中でなんぞ起る気遣いはございますまいか」

　と笠蔵が案じた。

「いくら将軍家とは申せ、城中で己にだれぞが危害を加えるなど異変は生じまい、と光圀様は申された」

「城中にてはその懸念はございますまい。ですが、登下城の折はいささか不安かと存じます」

　と信之助が言った。

「光圀様の外出の折は陰警護につこう。小梅村にお移りになればだいぶ懸念が薄れる」

「いつ小梅村にはお移りでございますか」

「明日二十七日に綱條様とともに彰考館を訪ねられる。私も供の一人に加われと命じられておる。小梅村はそのあとと聞いておる」

　彰考館は光圀が世子時代に駒込《こまごめ》別邸の火事小屋御殿に修史を学ぶ史局を開設したことが始まりだった。

　だが、父の頼房の死により、水戸藩主に就いたために藩務や公務に忙殺されて、光圀の脳裏から忘れられていた。

その光圀を刺激したのは幕府が『本朝通鑑《ほんちょうつがん》』の編纂《へんさん》事業に着手したことだ。光圀はいったん忘れていた史局を小石川藩邸に移し、彰考館と命名した。

彰考とは、『春秋左氏伝』の杜預《とよ》の序の言葉、

「彰往考来」

に由来するという。往事を彰《あき》らかにし、来時を考察するという意だ。

この水戸藩の修史事業は光圀の死後も延々と続けられ、史料の収集や編纂に関わった林家《りんけ》学派儒者が中心になって行われていく。

この日、招かれた刻限に小石川の水戸藩邸を総兵衛は供も連れずに訪ねた。御門で用件を伝えると、総兵衛を見知りの酒泉竹軒《さかいずみちくけん》が迎えに出て、

「総兵衛どの、よう参った」

と声を掛けてくれた。

水戸藩邸門前には光圀が逗留《とうりゅう》しているせいか、来訪者が列をなしていた。だが、大半が門番によって追い返されていた。

未だ世間では水戸を代表する人物は光圀であり、綱條の存在感は甚《はなは》だ薄かっ

た。

水戸藩小石川屋敷は敷地が十万千八百三十一坪と広大なものだった。彰考館はこの藩邸内の天神坂上と称する地に新しく設置された館で、六代目総裁として安積澹泊が元禄六年から就任していた。

二代目藩主と三代目藩主が揃《そろ》って彰考館を訪れるなど滅多にないのか、大勢の藩士たちが庭先から緊張の面持ちで彰考館の内部を覗《のぞ》いていた。

総兵衛は酒泉に、

「上がられませんか」

と勧められた。だが、総兵衛は、

「私め、学問にはとんと門外漢にございますれば庭先から館内のご様子を拝見させていただきます」

と遠慮した。

「さようか、安積総裁は連れてことよと言われたのじゃがな」

と残念そうに言いながらも、酒泉は自分の仕事へと戻っていった。

館内の壁に造り付けられた書棚から床に至るまで膨大な史料や書付が積み上

げられて、光圀が綱條に何事か説明していた。

総兵衛は初めて三代目水戸藩主を目にした。綱條は、明暦二年（一六五六）八月二十六日生まれゆえ、三十九歳の男盛りだった。だが、遠目には光圀の存在感のせいで、凡庸な感じに見えた。

事実、三代綱條の治世下に水戸藩の財政は逼迫《ひっぱく》し、藩外の浪人松波勘十郎らを登用して、宝永の新法を断行したが水戸領内各地で百姓一揆《いっき》が頻発して改革は挫折《ざせつ》した。

光圀が綱條に教え諭すように何事か告げていたが、その目がすうっと庭先に流れて、総兵衛の姿に止まった。

「おお、総兵衛、参っておったか。よい機会である、綱條どのに目通りせよ」

と光圀が手招きした。

傍らの水戸家家臣らはなぜ町人が藩邸の奥に入り込み、また光圀が親しげに招いたのかと訝《いぶか》しみ、好奇の視線を集めて総兵衛の風体を見た。

無紋ながら黒羽織に仙台平の袴《はかま》を身につけた総兵衛は六尺（約一八二センチ）余の偉丈夫で堂々としていた。

「何者か」

「富沢町の大黒屋総兵衛ではないか」

「古着商いが光圀様と付き合いがあるのか」

と庭先の家臣たちがひそひそ話をした。

「光圀様は市井《しせい》に通じておられたからな」

「とは申せ、古着屋風情《ふぜい》とどのような関わりか」

「富沢町の大黒屋には裏の貌《かお》があるというのはしばしば聞く話だ」

「裏の貌とはなんだ」

「家康様以来、徳川家の陰警護を務めているという類《たぐい》の話だ」

「戦が終って何十年も過ぎておる、そのような話は」

「ないと言い切れるか」

総兵衛は腰を屈《かが》め、顔をわずかに伏せながら庭先から彰考館の沓脱石《くつぬぎいし》に向った。

「ご免下さりましょう」

総兵衛は沓脱石に上がり、草履を脱いだ。そして、広縁に上がると背を光圀と綱條らに向けぬようにしながらも視線を庭において草履を揃えた。

光圀が動いたのはそのときだ。

音もなく総兵衛の背に迫ると、腰に差した小さ刀の近江守法城寺《おうみのかみ》 橘 正弘《たちばなまさひろ》を抜き放ち、いきなり総兵衛の背に斬り掛かった。

とても六十七歳の動きとも思えぬほど軽やかで敏捷《びんしょう》な動作だった。

だれもが声を殺し、見詰めた。

刃渡り一尺一寸二分（約三四センチ）の小さ刀が総兵衛の肩口を斬り割ったと見えたとき、ふわりと総兵衛の体が横へと流れ、斬りつけた光圀の腕を片手で下から持ち上げて止めた。

「お戯《たわむ》れを為されますな」

と笑みの顔で言いながらも、

「失礼の段、お許しを」

と腕を離した。

「総兵衛、そなたの背には眼がついておるか」

「古着屋は裏表に眼が利《き》かぬと商いになりませぬ」

「光圀は古着扱いか」

「ご不満でございましょうか」

「なんの不満があろうか」

と笑った光圀が正弘を鞘《さや》に納めると、

「綱條どの、市井には隠れた才が眠っておる。もっとも大黒屋総兵衛が眠り惚《ほう》けておるというているわけではないぞ」

と綱條に総兵衛を引き合わせた。

総兵衛は広縁に平伏し、

「富沢町の古着屋の総兵衛にございます」

と挨拶《あいさつ》した。

「予が水戸綱條じゃ。養父とそなたは昵懇《じっこん》のようじゃな」

「快風丸が三度目の蝦夷《えぞ》行を為された折、那珂湊まで見物に出向きまして、計らずもご老公様にお声をかけて頂き、以来、若輩者にも拘《かかわ》りませず、時にお声をかけて頂いております る」

「ご隠居はなかなか厄介な人物じゃが、そなたはそうは感じぬか」

「私め、早くに祖父と父を亡くしましたゆえ、真《まこと》に失礼ながらご老公様をわが爺様《じじさま》でもあるかのように感じております」

「綱吉様すらてこずられた養父がのう」

綱條がしきりに感嘆した。

突然の大黒屋総兵衛の登場を訝しく思った人物がいた。

光圀の腹心であった藩大老の藤井紋太夫（徳昭《のりあき》）だ。

光圀様はなにゆえ彰考館に古着屋など下賤《げせん》な者を招かれたか。

はた
と思い当った。

富沢町の古着問屋の大黒屋は一筋縄ではいかぬ町人、裏には別の貌を持っているると聞かされていたことをだ。

とすると光圀にはなんぞ企てがあって総兵衛をこの場に招いたとしか思えなかった。

紋太夫の背中にぞくりと悪寒《おかん》が奔《はし》った。

光圀は己の力をこのわしに見せようとして茶番劇を演じたのではないか。

(どうしたものか)
やはり御側用人柳沢保明様の力を借りるしか手はないか。
紋太夫は光圀を見た。
総兵衛は座したまま光圀や綱條と平然と談笑していた。なんと大胆不敵な若造か。
(決して野放しにしてはならぬ)
水戸家を掌握するのは連枝の出の綱條ではない。
(この藤井紋太夫だ)
と心に固く誓った。

三

元禄七年(一六九四)四月十五日。
光圀は小石川藩邸を経て登城した。

綱吉に謁《えっ》するため、いわゆる参府の挨拶登城であった。さらに同月二十六日にふたたび登城するように求められた光圀は綱吉から、

「四書の一『大学』の講義をせよ」

と所望された。

この日、綱吉は、三家をはじめ一門・庶流の者、また加賀藩主前田綱紀《つなのり》、彦根藩主井伊直該《なおもり》らを城中に招いて、座所で『論語』の講義を行った。その場で光圀に『大学』の講義を所望したのである。

綱吉は「生類憐《しょうるいあわれ》みの令」を発布した三年後にあたる元禄三年ごろより儒学に、「熱中」し始める。この年の七月に湯島に聖堂の移転を命じ、九月には諸役人を集めて文武両道が、「政道の理《ことわり》」ゆえ、学問に励み、林羅山《はやしらざん》の孫である林信篤《のぶあつ》ら林家《りんけ》の講義を聞くように将軍自らが訓示した。

この時を以《もっ》て儒学が政治の道具として姿を見せる。

翌元禄四年二月には湯島聖堂の落成祝いが催され、講義を聞くだけでは飽き足らなくなった綱吉は、城中で近臣を集めて自ら講義を行うようになっていく。

若くして修史編纂を水戸藩の事業に据えた光圀が隠居した年が元禄三年十月であることを考えると、綱吉の儒学熱中にある種の意味がほの見える。

天下のご意見番と巷《ちまた》で人気があった光圀の隠居の機会を捉《とら》えた綱吉は儒学へのめり込んでいった。

またこのころより綱吉が側用人《そばようにん》柳沢保明の屋敷のある道三河岸《どうさんがし》をたびたび訪ねては側近らに儒学を講じる風景が見られるようになり、保明は保明で綱吉のために儒学を講義する学堂を造営して阿《おもね》った。ために綱吉の保明への寵愛が頓《とみ》に増した。すべてが軌を一にしているように思える。

柳沢保明は、綱吉の学問好みを逆手にとり、綱吉の心に食い込んで城中での権力を掌握していく。こちらは綱吉の儒学好きを、

「出世の手段」

に利用した。

綱吉とて「生類憐みの令」が世間に決して評判がよくないことを耳にしてい

たはずだ。この儒学への傾倒は、当然「生類憐みの令」と並行して綱吉の胸中を突き動かす衝動であったろう。

だが、ここまでならば柳沢保明の野心は別にして、

「将軍の遊芸」

に過ぎなかった。

遊芸は忠誠を見極める道具に発展する。儒学肩入れの初期、林家に四書などの講義を委託していた綱吉は自らが城中で講義するようになった。

ご三家などを御座所に集めて『大学』や『中庸』を講義することが頻繁になり、柳沢保明は綱吉の光圀へのある種の劣等感を利用して、屋敷内に綱吉のために講義所を設けたのであった。

主《あるじ》の道楽に奉公人が付き合わされるのはどこの世界でもいっしょだ。

諸家大名や旗本らが、

「ご高説拝聴致したく願い奉《たてまつ》る」

と側用人の柳沢保明に懇請してくるようになった。ためにいよいよ柳沢の隠然たる力が増していく結果になった。

元禄六年二月二十二日、御座所に国持ち大名ら百五十一人が召され、綱吉が『中庸』を講じたが、それを前に、

「おのおの中庸を持参有るべし」

と講座の出席者に『中庸』の写本を携えてくるように命じた。この折、

「堀田筑前守正俊の子共、ならびに南部遠江守《とおとうみのかみ》直政、金森出雲守《いずものかみ》頼時は願叶《かな》わず」

と柳沢保明が『楽只堂《らくしどう》年録』に記している。

綱吉の講義に連なりたくも若年寄稲葉正休に城中で刺殺された大老堀田正俊の遺児とこの時期、綱吉の勘気を蒙《こうむ》っていた南部、金森の二人は拒まれた。堀田正俊は被害者であるにもかかわらず、拒絶された。綱吉の名を利しての柳沢保明の恣意《しい》が垣間見《かいまみ》える。

居並んだ殿様連があくびを噛《か》み殺しながら綱吉の、

「遊芸」

を聞く風景こそ茶番であった。

裸の将軍の儒教講義熱はますます燃え盛り、『易経』の連続講義を始めた。

そして、光圀が綱吉の召しにより参府する直前の元禄七年二月にはなんと三百四十二人の大名、大身旗本を集めて『中庸』を講じた。

そのような最中に綱吉が光圀に『大学』の講義を所望した。

光圀はそれを受けて、『大学』の冒頭の、

「大学の道は明徳を明らかにするところに在り、民を親《あら》たにするに在り、至善にして止《とど》まるに在り」

について、

「唯《たた》覚え候《さうらふ》通りをは御物語申へしと被仰《おほせられ》」

と詳しく述べた。

光圀の心情を推量するとき、「民を親たにするに在り」の解釈は、「生類憐みの令」が念頭にあっての話ではないか。だが、綱吉がどう反応したのかの記述はない。

光圀の出府に合わせ、綱條が初めて帰国を許され、五月十日に江戸を立ち、十二日に水戸城に到着していた。

そのような夏のある朝、総兵衛が朝稽古《げいこ》を地下の大広間で終えて居室に戻り、湯に浸《つ》かって仏間に入ると、一通の書状が鈴《りん》の傍らに置かれていた。

影からの呼び出し状である。

総兵衛は呼吸を整えると書状を披《ひら》いた。

「これより二日後夜半、駿府《すんぷ》久能山《くのうざん》の家康様霊廟《れいびょう》にて待つ」

とあった。

やはちの崩し文字の呼び出しは影からの命であった。

総兵衛は今いちど熟読し、笠蔵、信之助、おきぬの三人を仏間に呼んだ。

「影様からのお呼び出しである」

総兵衛は笠蔵に書状を渡し、他の二人が読み終えるのを待って笠蔵が、

「久能山まで一日半での旅になりますか」

「鳶沢丸が江戸佃島《つくだじま》沖に碇《いかり》を下ろしていたのは幸運であった」

「即刻出船の仕度を命じておきます」

と言い残して信之助が席を立った。

「影様のお呼び出しにお心あたりがございますか」

「おきぬや、水戸光圀様と総兵衛様のお付き合いの他にありますかな。影様が気にされたのはこのあたりに違いありますまい」

笠蔵がおきぬの問いに対して即刻言い切った。

おきぬが総兵衛を見ると頷《うなず》いた。

「どうなされますな」

「いつも通りに虚心坦懐《きょしんたんかい》にお答えするしかあるまい」

総兵衛にも笠蔵らにも水戸光圀との付き合いが幕府を刺激するとの推測はあった。

だが、水戸光圀はすでに公務から退いた隠居の身、「修史」編纂に余生をかけた老学究として表立っては政《まつりごと》に絡《から》んだ話は避けてきたつもりだ。しかし、「生類憐みの令」というこれまでの幕政の中でも特異な触れが世間を苦しめている綱吉の御世、避けたつもりが避け切れないこともあった。

信之助が戻ってきた。

「いつなりとも出立ができます。供はいかが致しますか」

総兵衛がしばし考え、

「次なる商いの主船頭は三番番頭の国次《くにじ》でしたな」

「はい」

「ならば小僧の駒吉《こまきち》だけを連れて船に乗ります」

笠蔵が、中座した間の会話を信之助に繰り返し話した。

「私もさよう考えます」

「影様のお呼び出しの命が水戸様との付き合いを糺《ただ》されることであるのは間違いあるまい。されどただ今この場でそう判断して対応を考えるのもどうかと思う。ともあれ明晩九つ（午前零時頃）にお会いする」

小僧の駒吉が呼ばれ、布に包まれた三池典太光世を持たされ、その場から直ちに大黒屋の船着き場の猪牙舟《ちょきぶね》に総兵衛とともに乗り込んだ。

総兵衛の腰には長煙管《ながぎせる》と煙草《たばこ》入れが差され、懐《ふところ》には、

「神君の御起請文《きしょうもん》」

があった。

駒吉はといえば店から呼び出されたのだ、なんの持ち物もなかった。せめて鉤《かぎ》の手の付いた綾縄《あやなわ》を懐に忍ばせておけばよかったが、と思ったが後の祭りだ。

なにより総兵衛の供でどこに行くのか、分らなかった。

船頭は荷運び頭の作次郎《さくじろう》だ。

作次郎は鳶沢一族だが、もっぱら大黒屋の荷運び仕事を任され商いには携わらないので、商人というより職人のような言葉遣いと振る舞い方をした。

「頭、どこに行くのです」

「小僧さん、客のつもりか。櫓《ろ》を手伝わないか」

と命じられ、駒吉が慌《あわ》てて大力の作次郎の櫓に手を添えた。

「いってらっしゃいまし」

信之助らに見送られた総兵衛が無言で会釈《えしゃく》を返し、猪牙舟は入堀を一気に下って大川に出た。

舳先《へさき》が向けられたのは下流だ。

駒吉は、一瞬、行く先は船宿幾《いく》とせか、と思った。そこには総兵衛の妹のような幼馴染《おさななじみ》の千鶴《ちづる》がいた。だが、櫓に作次郎の力が一段と加わり、猪牙舟は河口へと向けられた。

「総兵衛様、佃島でございますか」

「さあてな、どこにしたものか」

総兵衛は長煙管を抜くと煙草盆を引き寄せ、一服着けた。

「駒吉、どこへ行きたい」

「はっ、なんでございますか」

「そなた、耳が遠くなったか」

「いえ、聞こえております」

「気まぐれにな、船遊びがしたくなった。駒吉の願いに応《こた》えてもよい」

「ならば、佃島辺りで磯《いそ》釣りはいかがにございますか」

「よいな」

二人で漕《こ》ぐ猪牙舟は一気に大川河口の永代橋を潜《くぐ》り、正面に石川島の葦原《あしはら》が見えてきた。作次郎は猪牙舟の舳先を東側に向け、佃島に回り込もうとしている、と駒吉は考えていた。

鳶沢丸が帆を休めていた。

駒吉が見るとすでに鳶沢丸は出船の仕度を終えていた。

「総兵衛様、まさか船遊びとは鳶沢丸に乗り組むことではございませんよね」

「そなたは佃島の磯釣りが望みであったな。作次郎にあとで猪牙を回してもらえ」

「えっ、総兵衛様は鳶沢丸に乗り込まれるのですか。ならば不肖、小僧の駒吉も鳶沢丸に乗船させて頂きます」

駒吉が慌てて言ったとき、猪牙舟は鳶沢丸の船腹に横付けされていた。

総兵衛が縄梯子《なわばしご》に足をかけてするすると船上に上がり、駒吉も預り物の主の愛刀を持って縄梯子に手を掛けると、作次郎が、

「駒吉、忘れもんだ」

と投げてよこしたものがあった。慌てて片手で摑《つか》んだ駒吉は、自らの武器鉤の手付きの綾縄と分かった。

「戦場《いくさば》に空手で行きなさるか、小僧さんよ」

「有り難う、頭」

礼を述べた駒吉が改めて縄梯子に取りついた。

「いいか、総兵衛様の傍らを離れるんじゃねえぞ」

「合点ですよ、頭」

するすると縄梯子をよじ登った駒吉が鳶沢丸の船上に飛び上ると、代わりに手代の磯松が縄梯子を使って下り、途中からぴょんと猪牙舟に飛び下りた。

磯松は鳶沢丸の出船手配の命を持って先行していたのだ。

「碇揚げ、主帆柱の帆を張れ！」

国次の命が即刻下って鳶沢丸が江戸湾口に向って動き出した。

鳶沢丸の性能と操船術のかぎりを尽くし、観音崎から城ケ島を回り込んで相模湾を東南に突っ切り、折から吹き始めた夏の嵐に抗しつつ石廊崎《いろうざき》を夜明け前に乗り切り、駿河湾の向かい風に邪魔されながらもなんとか江尻湊《えじりみなと》に到着したのは翌日の五つ（午後八時）の刻限だった。

総兵衛と駒吉は鳶沢村の長老鳶沢次郎兵衛宅に入ると、総兵衛と次郎兵衛が即刻談義に入った。

四半刻《しはんとき》（三十分）後、鳶沢村の男衆が久能山頂きの家康公霊廟の清掃に向い、松明《たいまつ》を灯《とも》して下山してきた。

その間に湯を使い、身支度を整えた総兵衛は腰に三池典太光世《みいけでんたみつよ》を差し落とし、駒吉独りだけを供にして久能山の険しい裏階段を上った。

駒吉にとって物心ついたときからの山道だった。灯りを付けずとも総兵衛を先導できた。

主従が久能山の頂き直下に辿《たど》り着いたのは夜半九つ前のことだ。

「駒吉、そなたはこれにて待て」

「えっ、それでは供のお役目が果たせませぬ」

「二度とは言わぬ」

厳しい声が駒吉を制し、総兵衛の長身が濃い闇《やみ》に溶け込んだ。

元和二年（一六一六）四月十七日、家康は駿府城にて七十五歳の生涯を終えた。その夜のうちに家康の遺骸《いがい》は久能山の霊廟に仮埋葬された。その折、遺骸の傍に寄り添った影の戦士たちが鳶沢一族の先祖だった。

今、総兵衛は松明が灯された神廟の前に座し、神君家康の霊に向って拝礼した。そして、その姿勢のままに影様を待った。

四半刻が過ぎたころか、鎮《しず》まっていた風が再び久能山頂き付近の樹木の枝葉を揺らし、風が止《や》むと神廟の前に影が座していた。

総兵衛は一礼した。

すると傍らからもう一つの影が姿を見せて、

「神君様の御起請文を拝見仕《つかまつ》る」

と若い声が命じた。

「これに」

総兵衛が渡すとその者が松明の灯かりの下に向い、影様の持つもう一枚の御起請文の家康の花押《かおう》が併せられ、互いの身分が確認された。総兵衛へ御起請文が返され、神廟を背にした影と総兵衛の二人だけになった。

「ご用命の趣、お伺い致しまする」

総兵衛の問に影は答えない。

待った。総兵衛は影の言葉を待った。

だが、なんの返答もなかった。

「影様にはなんぞご不興にございますか」

と再度問うた。

「鳶沢一族の使命、逸脱してはおるまいな」

険しい声が総兵衛を糾《ただ》した。

「なんらございませぬ」

総兵衛の答えは明快だった。

「ならば問う。そのほう、なにゆえ水戸光圀様の従者として四月十五日城中に上がりしか」

これは総兵衛と光圀の内緒ごとだ。それを影は承知していた。

「徳川幕府安泰のため、それがしが城中にあったほうが万事都合宜《よろ》しかろうと考えたゆえにございます」

「そのほう、影たるわしの命なく動いたか」

「影様の命に背いた覚えはございませぬ」

と重ねて否定した総兵衛が、

「われら鳶沢一族は影様からの指令を待つ間も常に城内外の動きに目を見張っておりまする、それは徳川幕府と徳川家の安泰のために一族の当然の務めと心得ておりまする」

「なに、鳶沢一族は影の判断と命なくとも下調べをしておると申すか」

「はい」

「僭越至極《せんえつ》」

「お待ち下され、影様」

と総兵衛は一拍間をおいて、

「人ひとりの生命を誅《ちゅう》するには確かな証《あかし》がなければなりませぬ。われらも動き、その上で影様の命に従う。当然のことと心得ます」

「慮外者めが。影の命とそなたらの判断が違《たご》うたとき、そなたらは影の命を拒む気か」

「これまで影様とわれら一族の間にさような離反がございましたか」

総兵衛が反問した。

「影様、五代様にはお世継ぎがございませぬ。それを巡ってあれこれと策謀しておる輩《やから》がおることを影様が知られぬはずもございますまい」

「光圀公は隠居なされておる」

「いかにもさようにございます。ゆえに幕府の公務に口出しなさるおつもりはございませぬ。ただ」

「ただ、なにか」

「光圀公が綱吉様の命に応じて参府された背後には一つには水戸家の内情が絡んでいると思われます。影様、光圀様に向けて奇妙な刺客団が刃を振るって襲いかかった事例がございます。こたびのご出府の折、筑波山山麓《さんろく》の山道にて麻地色の衣をまとった僧兵の一団が光圀様のお命を縮めんと襲いかかりました」

「筑波山山麓じゃと」

「あの界隈《かいわい》にはどなたかが住職の知足院がございます」

「隆光権《ごんの》僧正《そうじょう》を名指ししておるか」

「この刺客団を率いておるのが波呂路隆角なる坊主にございます。この者たちがだれの指図にて動いておるか、およその見当はつかぬわけではございませぬ」

総兵衛の言葉に影が沈思した。

長い沈黙だった。

「そのほうが光圀様に従っておるのはあくまで光圀様をお守りするため」

「と同時に光圀様が一命を賭《と》して綱吉様に刃《やいば》を向けんとするが如《ごと》き万々が一の出来事を防ぐためにございます」

「なに、光圀様が綱吉様に刃を向けると申すか」

「その可能性なきにしも非《あら》ず、と存じまする」

「光圀様が」

「無慈悲な『生類憐みの令』の布告のもと、大名方の半数が内心ではそう思われておりましょう。なれど、さようなことが決してあってはなりませぬ、ゆえにこのこともまたわれらが務めのうちと心得ます。さらには綱吉様周辺におられる方々を牽制《けんせい》し、ご政道に間違いなきよう微力を尽くすことはわが一族本来の使命を決して外れるものではないと存じております」

　また沈黙があった。そして、口を開いた。

「総兵衛、こたびのこと、用命ではない。影と一族の長との談義である。公《おおやけ》にはなにもなかったことに致す」

「いつなりともご用命をお待ちしております」

　影が消えた。

　総兵衛はその姿勢を崩すことなく動かなかった。

　しばし無言の刻限が流れ、総兵衛の耳に、

（うっふふ）

と笑い声が響いた。

（総兵衛、若いくせにあれこれと巧妙にも論を弄《ろう》しおるのう）

神君家康の声だった。

（なりませぬか）

（齢《とし》をとると分ることがある。光圀がことよ）

（ご懸念《けねん》がございますか）

（妄執《もうしゅう》じゃ）

と一言答えた家康の声が消えた。

四

元禄七年（一六九四）の夏、大黒屋は表の商いである古着商売に精を出していた。

この数年前から絹ものの注文が多く、上方からの仕入れでは足りない事態が続いていた。

徳川家康が江戸城に入って百年余、江戸湾の葦原の洲《す》に築かれた人工都市江戸はほぼ完成を見ていた。

この百年間に大都江戸を築き上げてきたのは将軍を頂点とした徳川幕府、武家集団であった。

参勤交代という制度で諸国から大名諸侯が家臣を率いて江戸に入り、およそ一年余滞在して下番《かばん》していく。常時、何十万人もの武士たちが江戸に駐在していたのだ。またこれらの大名の上番下番の行列が江戸と在所を結んで、情報や流行を諸国へと速やかに伝えて徳川幕府の基礎を確かなものとしていた。

と同時に参勤交代の行列が落とす費えは各大名家の年間収入の三分の一といわれたから、各街道筋の宿場に莫大《ばくだい》な金子を落としたことになる。

このために五街道を始めとする街道が整備されていく。また武士団の駐在で江戸の消費は潤《うるお》っていった。

だが、江戸入りした家臣団はすべて男性である。結果、江戸の人口比率は極度に偏《かたよ》ったものになった。古今東西の歴史上、未曾有《みぞう》の出来事、圧倒的に男性が多い特異な社会が出来上がった。

ゆえに必要悪として二つの、

「悪所」

が誕生し、日に日にその勢いは増していった。

十九世紀前半に書かれた加藤玄悦《げんえつ》の『我衣《わがころも》』の随筆に、

「元禄、宝永のころ、悪所の繁栄は、昼は極楽のごとく、夜は竜宮のごとしといえり。……悪所は金銀を捨てるところなり」

とあるように元禄期のころから消費社会の形成とともに武家社会の力が衰え、財を築いた富裕層の商人たちがとって代わり、悪所で金銀を浪費していった。

さて悪所の一は、遊里であった。

柳町で娼家《しょうか》を営んでいた庄司甚右衛門《しょうじじんえもん》が治安維持を名目に娼婦たちを一か所に集めての公許の傾城《けいせい》町を造ることを幕府に願い出た。

葭町《よしちょう》付近に造られた元吉原であった。

京の島原を模した元吉原は大いに繁栄したが、城にも近く町家と隣接する遊里は芳《かんば》しからずとの声が上がる中、明暦の大火が江戸を灰燼《かいじん》に帰せしめた。それを切っ掛けに火除地《ひよけち》が設けられ、元吉原は、浅草寺奥山裏手の新吉原として移され再出発した。

この公許の新吉原を頂点に江戸各所に悪所ができ、繁栄した。

悪所の二に上げられるのは、寛永年間（一六二四〜四四）に江戸に誕生した芝居町だ。遊女とその実態が変わることのなかった女歌舞伎《かぶき》は禁じられ、代わりに男歌舞伎が始まった。元吉原に接した堺町に猿若座と村山座が旗揚げし、木挽町《こびきちょう》に山村座と森田座が加わって、一大芝居町が江戸に誕生した。

この二大悪所の一夜千両と謳《うた》われた、

「遊里と芝居」

を支えたのは男性社会であった。

十七世紀も中盤になると武士に代わり、商人階級が台頭してきて消費文化を牽引していく。

太夫《たゆう》と呼ばれる吉原の最高位の遊女と遊ぶとなると、一晩に十両から十五両はかかったが、富裕層ばかりか、宵越しの銭は持たないことを矜持《きょうじ》にした職人やお店《たな》の奉公人も二大悪所を支えてきた。

惚《ほ》れた遊女と一夜をともにしようという男が絹物に袖《そで》を通したいと考えるのは至極当然の成り行きだ。虚栄、見栄と言われようと粋な洒落《しゃれ》を競い合う。とはいえ、京からの下り物の絹物を扱う呉服屋に八っつぁん、熊《くま》さんが註文《ちゅうもん》できるわけではない。そこで富沢町の古着屋に絹物を求めて客が集まるという構図が出来上がった。

「総兵衛様、京の仕入れ店に度々絹物を集めるように願ってはございますが、ここは一気に仕入れて、お得意さんの鼻を明かしたいものですな。帳場に座っておりまして、『なんだい、大黒屋とあろうものがこれぽっちの品ぞろえしかないのか』と職人方やら小売り商いに言われるのは悔しゅうございます」

笠蔵が総兵衛に訴えた。

「最近、とみに町人衆の懐具合がようなりましたからな、どなたもが木綿は仕事着と贅沢《ぜいたく》なことを考えられるようになりました」

と笠蔵の愚痴に応じた総兵衛が、

「そろそろ鳶沢丸が摂津の安治川沖から碇をあげるころではありませんか。おきぬ、信之助とも話し、国次に絹物のよいものを値段に拘《かか》わらず多目に仕入れてくるように命じております。野分けの吹く前に江戸に戻りつくなれば、大番頭さんの杞憂《きゆう》も消えましょうな」

「えっ、総兵衛様、さようなことを格別に国次に命じてございますので」

「おきぬの考えで、大番頭さんに少しやきもきさせたほうが元気になると申しますでな、帳場の金子とは別に内所の金子を五百両ほど持たせております」

「おきぬはわが娘のように思うておりましたが、そのような意地悪を覚えましたか」

と笠蔵がいうところにおきぬが茶を淹《い》れてきた。

盆の上には笠蔵の好物の志ほ味屋の塩饅頭《まんじゅう》があった。

「人間、時にあれこれと思い悩むくらいが長生きの秘訣《ひけつ》だそうです。能天気に過ごしておりますと惚《ぼ》けが憑《よ》りつくそうです、お父《とっ》つぁん」

冗談めかせたおきぬが笠蔵の前に好物を差し出した。

「総兵衛様もおきぬも結託されてこの年寄をからかいなさるか」

「ほれ、その口癖、年寄の二文字がいけませぬ。偶《たま》にはご自慢の裏地の夏羽織を召されて吉原の大門を潜られてはどうですか」

「主様の前でなんということを。私はな、これでも若いころから堅物笠蔵で通っております。新吉原の大門が五十間道のほうに開いているなんぞは承知していません」

「おやおや、大門が五十間道と接しているとどなたからお聞きになられたのでございましょうな。大番頭さんの馴染みの女郎さんの名は確か」

「おきぬ、そこまでです。いけませんいけません、あの名は禁句です」

慌てふためいた笠蔵が何年も前に通い詰めたころの馴染みの遊女の名をおきぬが口にするのを強引に封じた。

「あれは元禄と改元したころのことでしたかな、松葉楼の売れっ子遊女のおかほが二十二の若さで病に斃《たお》れた。いや、先代の親父も、笠蔵は大丈夫かと案じておりましたよ」

「えっ、総兵衛様もご存じでございましたか」

「はい、総兵衛様も信之助さんもご承知でした」

とおきぬが言うところに当の信之助が姿を見せた。

「魂消《たまげ》ました」

「大番頭さん、魂消ることはございません。亡《な》くなられた先代が大番頭さんとはいささか齢が離れていますが、気立てがよい女子なれば落籍《ひか》したらどうだと、おかほさんの身許《みもと》調べを命じられたことがございました。ですが、もはやその時には病魔がおかほさんの体を蝕《むしば》んでおりました」

「な、なんということか」

笠蔵が絶句した。

「大番頭さん、人間艶《つや》がなくなっては爺《じじ》むさくなります。おかほさんの七回忌も過ぎました。偶には吉原の大門を潜って、どのような小袖が売れ筋かを確かめるのもうちの大番頭さんとしての務めではございませんかな」

「驚かされたあとには瞼《まぶた》が潤《うる》んで参りました。さようでございましたか。この笠蔵の妄執を総兵衛様方はご存じでしたか」

「どうですな、私といっしょに久しぶりに大門を潜るのは」

「総兵衛様のお供では分《ぶ》が悪い。遊女も様子のいい若い男には眼がございませんからな」

「そこで私が手代、大番頭さんがお店の主ということでいかがでしょう」

「えっ、総兵衛様が手代ですと。私が旦那《だんな》で、吉原の流行《はやり》すたりを確かめに参るのですか」

「さようです。今晩にも参りましょうかな」

「えっ、ほんとうのことでございますか。主と番頭がこれでは店の者に示しがつきますかな」

「吉原には売れ筋を確かめにいくのでございますよ。鳶沢丸が戻ってきたらまた忙しくなります。どうか、お二人でごゆっくり」

信之助に言われた笠蔵がその気になった。

総兵衛はこの昼下がり、道三河岸の側用人柳沢保明の屋敷に密偵を入れた。一族のおてつを飯炊《めした》きに、さらにその倅《せがれ》の秀三を下男として鎌倉河岸《かまくらがし》裏の口入屋を通じて入れた。

だいぶ前から柳沢邸に限って人を入れる算段をしていたが、なかなか空きがないのか、柳沢邸からの使用人を雇いたいという申し入れが出入りの口入屋に来なかった。そこで柳沢邸の飯炊きと下男二人にそれなりの金子を与えて急に辞めさせることにした結果、なんとかおてつと秀三を入れることが叶った。

総兵衛の中に急ぎ側用人の柳沢保明をどうこうしようという考えがあったわけではない。

綱吉とその生母の桂昌院の寵愛を背景に急速に城中で権力を握った柳沢保明がどのような人物か、様子を見させるために二人を入れたのだ。むろん水戸光圀の懸念も総兵衛の頭にあった。さらには、影様に約したように鳶沢一族は、

「常にどのような事態にも備える集団」

であるために、柳沢保明は承知しておくべき人物の一人だった。

その夕暮れ、柳橋の船宿から猪牙舟に乗った総兵衛と笠蔵は、今戸橋の船宿で船を下り、土手八丁をゆったりと歩いていった。

笠蔵が主の体《てい》で先を歩き、そのあとを長身の手代が従っていた。

「総兵衛様、どこの引手茶屋に参りますかな」

「主が手代を様付で呼ぶのは可笑《おか》しゅうございます。私は手代の総吉です」

「おお、そうでしたそうでした。私が吉原通いをしていたのは七、八年も前の

ことでございましてな、七軒茶屋の木佐貫笙《きさぬきしょう》右衛門《えもん》方にございました。あそこは身許が割れております。どこぞ別の茶屋にしとうございます」

「手代の総吉に馴染の茶屋などあるわけもなし、困りました」

と言いながらも二人は見返り柳に差し掛かり、ゆったりと曲りくねった衣紋《えもん》坂《ざか》から五十間道を下りていった。

吉原の大門の中から清掻《すががき》の調べが物憂《ものう》くも男心をくすぐるように流れてきた。

夏の宵、吉原には大勢の客たちがいた。

待合ノ辻《つじ》の茶屋に三浦屋の高尾太夫が出張り、緋毛氈《ひもうせん》を敷いた縁台に横座りして馴染み客を待ち受けていた。

この高尾、新吉原に移って三代目の高尾太夫であり、実家は直参旗本高家の出とか、

「京極高尾」

と陰で呼ばれている遊女だ。

「おや、大黒屋の大番頭さんではございませんか」

と隣りに座った引手茶屋木佐貫笙右衛門の女将《おかみ》が笠蔵に声をかけた。

「女将さん、人違いをしておられます。私は室町の小間物屋の主にございましてな、連れは手代にございますよ」

と笠蔵が慌てて言い繕った。

「おやおや、七、八年お見限りと思いましたら、室町の小間物屋の旦那に鞍替《くらが》えにございますか」

「見間違いにございます。俗に世間にはそっくりの分身が一人ふたりはいると申しますからな。失礼を致しますよ」

と笠蔵が女将の眼差《まなざ》しを振り切ろうとすると、

「うっふっふ」

と高尾が笑った。

「わちきはそちらの手代さんにも覚えがありんす、女将様」

「おや、私は手代さんには覚えがございません」

「本日は手代のなりでこの高尾に隠れてのお遊びでありんすか」

高尾が総兵衛に問い質《ただ》した。

「大番頭さん、万事窮すですぞ。木佐貫の女将と高尾にばればれではどうにもなりませんな」

と総兵衛が笑い出し、

「太夫、この手代さん、どなた様です」

「富沢町の大黒屋総兵衛様でありんす」

「えっ、六代目の大黒屋さんはかようにお若いのでございますか」

「お齢はいっておられません。近頃はお見限りですが亡くなられた親父様と仲よう吉原に参られました。この高尾、総兵衛様の十五、六の頃からの馴染でありんす」

「驚きました。大黒屋の主と大番頭さん、二人してなにをお考えにございますのか」

「こんどは木佐貫の女将から詰問《きつもん》か。なあに店の連中が、大番頭さんが近ごろとんと吉原に足を向けられずに艶がなくなったと言うでな、私ともども暑気ばらいに大門を潜ったところですよ、ところがいきなり化けの皮が剝《は》がされた」

と事情を明かした総兵衛が、

「大番頭さんはその昔、とある遊女に惚れて、うちの親父は落籍させよと言うていたほどです。だが、病にあの世に持っていかれました。大番頭さんは七回忌を済ますまで女絶ちを考えられたのかどうか、吉原から足が遠のきましたが、お店の連中が、もはや喪は明けたと私どもを送り出してくれたというわけです」

「松葉楼のおかほさんが亡くなられて六年が過ぎましたか。まさか大黒屋の大番頭さんがおかほさんに操《みさお》を立てておられたとは考えもしませんでした」

木佐貫の女将が遠い昔を追憶するような眼差しで洩《も》らした。

吉原の五、六年は世間の三十年にも四十年にも匹敵するほど濃密な時間が過ぎていく。

「女将さん、操は女子が殿方に立てるものでありんす。まさか大黒屋の大番頭さんが」

「というわけだ。高尾、だれぞ待ち合わせか」

「総兵衛様、今宵《こよい》は珍しくだれとの約束もございませんでした。それで仲の町張りを考え、道中をくんだところです」

京極高尾がありんす言葉を捨てて総兵衛に応じた。

「これもなにかの縁、室町の旦那と手代が京極高尾を今晩借り切ろうか」

総兵衛が言い出し、二人は引手茶屋の木佐貫を通して三浦屋に登楼した。

この夜、総兵衛と笠蔵は主従が逆転した立場を守り、三浦屋で酒を呑《の》み、清談に興じて四つ半（午後十一時頃）の刻限に引き上げた。

大門前で駕籠《かご》が声を掛けてきたが二人は、

「酔い醒《ざ》ましに歩きたい」

と断り、人影も絶えた五十間道を上がった。

「総兵衛様、時には吉原なんぞにも足を向けるものですな」

「大番頭さん、泊まってこられればよいものを」

「いえ、さような恥知らずができるものですか。総兵衛様は高尾と次の約定が叶いましたかな」

「あの話か」

綱吉の側用人柳沢保明を三浦屋で、とある大名家の重臣が接待したそうな、と番頭新造がその場の楽しげな雰囲気にうっかりと洩らし、高尾に眼差しで注

意された。番頭新造が慌てて口を噤《つぐ》むのを見た笠蔵が、

「公方《くぼう》様の側用人ともなればぴりぴりと気を遣われるお立場のお人です。かような場所で時に息抜きすることも大事なことでございますよ」

と執り成した。

「総兵衛様は側用人様とはご縁がございませんので」

「古着屋風情《ふぜい》が公方様の側用人様と縁などあるはずもありません」

総兵衛の言葉に、

「大黒屋は古着屋であって古着屋ではなし、という言葉をどなた様からか聞きました」

高尾が笑みの顔で言った。

「古着屋は古着屋以外のなにものでもありませんよ。私どもはお奉行所にぐいっと首根っこを押さえられた商人です」

と総兵衛が笑って答えた。

清談の最中、笠蔵が厠《かわや》に立ち、新造と禿《かむろ》が笠蔵に従った。

座に一瞬、緩んだ空気が流れたとき、高尾が総兵衛の耳に口を寄せた。

「総兵衛様は水戸のご老公とお親しいそうな」

「ほう、またなぜさようなことを」

「柳沢様を接待したのは水戸家大老藤井紋太夫様でございました」

「それはそれは」

「時にはわちきに会いに来ておくんなまし。これからも柳沢側用人様と藤井様は会われる筈《はず》にございます」

「高尾太夫、おまえ様の立場を悪くしませぬか」

「好き嫌いはいえぬ稼業《かぎょう》にありんす。ですが、男女の欲得なしに、時にかような京の呉服の話やら小間物の流行すたりの話やらで男衆と語り合うのは気持のよいものでありんす」

「よかろう、一月後の約束をしておこうか」

総兵衛は引手茶屋に次の出会いのための金子を預けてきた。

総兵衛は笠蔵に、厠に行っていた間、高尾から洩らされた話を伝えた。

「ほうほう、水戸様の重臣ともあろうお方がなぜ成り上がりの側用人様に追《つい》従《しょう》されますかな」

「そこだ。この話を聞けただけでも、今宵の吉原行の元は取れたというものよ」

と総兵衛が笑った。そのとき、今戸橋下から、

「旦那方、仕舞い舟だ、乗っておくんなせえ」

と声が掛かった。

「いいでしょう。入堀の栄橋、大黒屋までお願いしますよ」

と願った総兵衛が河岸道から船着き場に下り、笠蔵が続いた。

第五章　『千手』の舞

一

元禄七年（一六九四）晩夏。

総兵衛らが考えていたより鳶沢丸《とびさわまる》の江戸戻りは遅かった。

佃島《つくだじま》沖に喫水が上がった鳶沢丸が帆を下ろしたのは秋蜻蛉《あきとんぼ》が飛び、朝夕に涼風が吹く時節になっていた。

遅れた理由《わけ》は、仕入れの長《おさ》、三番番頭の国次《くにじ》の報告によればこうだ。

京にて老舗《しにせ》呉服屋の山城屋の思いがけない協力が得られ、じっくりと腰を据えて上物の品ぞろえをなしたこと、その品選びに日にちを要したこと、さらには安治川沖に停泊した鳶沢丸への荷積みに苦労したこと、合わせて江戸への航海中に野分けに二度ほど襲われたこともあり、喫水の上がった鳶沢丸は無理をすることなく、風待ち湊《みなと》で海がおさまるのを待ったためだったという。

むろん国次からは、仕入れ中、航海中の遅延については飛脚便にてその都度富沢町に知らされていた。

この時節に野分けの海に強引に乗り出した菱垣《ひがき》廻船が三艘《そう》行方を絶ったことは、鳶沢丸が江戸に安着して知らされた事実だった。

京で集められた一年、二年落ちの新中古の絹物と大坂で集められた古着の絹物が、船倉ばかりか甲板の上にまで工夫して積み上げられ、佃島沖に海亀《うみがめ》のようにゆったりとした船足で戻ってきた鳶沢丸を、大黒屋の見張り舟が認めて即刻富沢町に知らされた。

その報告を受けて総兵衛は、大番頭の笠蔵、荷運び頭の作次郎らを伴い、急ぎ見に行った。

「おうおう、鳶沢丸の喫水があれほど上がったのを見たのは初めてにございますぞ、総兵衛様」

「国次らの苦労が偲《しの》ばれるな」

「いかにもいかにも」

と応じた笠蔵が、

「頭、あれだけの荷を富沢町に運び込むのはうちの荷船だけでは足りませんな」

と作次郎に話しかけた。

「大番頭さん、ご安心下せえ。このことを見込んですでに仲間に声をかけてございます。それにしてもこれほどまでとは考えもしませんでしたよ。荷下ろしだけで七日は掛かりそうだ」

「頭、そんな呑気《のんき》なことを言われては困ります。まず四、五日以内に富沢町に運び込んで下され。待ちに待ったお客様、お得意様には即刻下り物の入荷があったことを知らせますでな。国次らの苦労を思えばなんでもありますまい」

総兵衛らの猪牙舟《ちょきぶね》が鳶沢丸に横付けされ、甲板に上がった総兵衛らは改めて積み込まれた荷の多さに驚かされた。

甲板もあらゆるところに工夫されて菰包《こもづつ》みが山になっていた。むろんこれは上物ではない。着古した木綿物だ。

「国次、ご苦労でしたな」

総兵衛がまず数か月にわたる上方への仕入れ旅を労《ねぎら》った。

「総兵衛様、もはや何千貫積んだかなんてわかりません。和船造りの弁才船《べざいせん》ではこの半分でも熊野灘《くまのなだ》で難破しておりましょうな。一度、野分けに追いかけられたとき、甲板の積み荷を海に捨てようかと腹を括《くく》りましたが、なんとか尾鷲《おわせ》湊に避難することができました」

鳶沢丸の船室には絹物、木綿物、またその品質や古さの程度によって荷が仕分けされて満杯に積まれていた。

艫櫓下《ともやぐらした》の船室にも上々物の京友禅、加賀友禅、異国渡来の更紗《さらさ》などがぎっしりと収納され、その品質と意匠のよさに総兵衛らは驚かされた。

「大番頭さん、上物はお得意様に一枚一枚丁寧に選んで売りましょうぞ。どこぞの読売に下り物の入荷を書かせる算段をしてごらんなされ」

「読売を使いますか、考えもしませんでした。客が詰めかけますな」

総兵衛らは鳶沢丸の船倉をすべて調べて、荷下ろしと同時に仲買人や小売りの古着屋に卸す品と、大黒屋が得意にしている上客に一枚一枚手にとって選んで買い求めてもらう品とを区分けして荷下ろしをする工夫を凝らした。

その翌朝、佃島沖から大川を経て入堀へと、下り荷を積んだ荷船が忙しく往来し、富沢町の船着き場で待ち受けた男衆《おとこし》が次から次へと運び込まれる荷の菰を剝《は》いで、品物を一包みずつ調べては内蔵へと運び込んでいった。

一方、女衆《おなごし》は京の山城屋の扱った新中古の一年落ちの上物を一枚一枚丁寧に調べ、染めや絞りや織り方や意匠によって区分けして店座敷に積んでいった。どれもが京の山城屋の畳紙《たとう》に包まれているものばかりだ。

「おきぬ、江戸の呉服屋が見たら腰を抜かしますぞ」

「ようもこれだけの品が集められたものですね」

おきぬと笠蔵は感嘆の体で言いあった。

「こたびの仕入れだけでどえらい売り上げでございますぞ」

「大番頭さん、さような計算は商いが一段落ついた折に致しましょうか」

「いかにもさよう」

総兵衛は、山城屋が総兵衛あてに送ってくれた最新の京友禅の仕立てものを前に何事か考えていたが、

「駒吉、使いをしてくれませぬか」

「へえ、千鶴《ちづる》様にお届けにございますな」

と心得顔に駒吉が応じた。

「千鶴には私が届けます」

「ならばどちらに」

「そなた、吉原がどこにあるか承知ですな」

「むろんでございます。浅草御蔵前通りから今戸橋の手前を左に曲がってとんとんと土手八丁を見返り柳まで行き、衣紋坂《えもんざか》から五十間道を下ると大門にございます」

「ほう、よう承知ですな。さように詳しいのは、しばしば吉原に遊びに行っているからですか」

「総兵衛様、私の給金をご存じでございますね、小僧の身分で吉原の大門が潜《くぐ》

れるものですか。どなたかにお届けものですか」

「三浦屋の高尾太夫《だゆう》にこの畳紙の二つを届けて下され」

総兵衛の言葉に駒吉が、ごくりと音を立てて唾《つば》を飲み込んだ。

「み、三浦屋の、た、高尾太夫にございますか」

駒吉の両眼が泳いでいた。

「駒吉、大丈夫ですか」

「はっ、ふあい。だ、大丈夫です。太夫に直《じか》にお渡しします」

「ふっふっふふ。ちと耳に毒な用事でしたかな。たれぞ別の人間に致しましょうか。おきぬ、どう思います」

総兵衛がおきぬに尋ねるふりをすると駒吉が、

「そ、総兵衛様、こ、この駒吉がしっかりと務めます」

そんな慌《あわ》てぶりを見ながらおきぬが大風呂敷《おおぶろしき》に二枚の京友禅を包み込んで、

「駒吉さん、しっかりと御用を勤めなさい」

と送り出した。

鳶沢丸が佃島沖に到着して十数日の間、大黒屋は戦《いくさ》のような日々が続き、主《あるじ》はもとより奉公人全員が商い専一に奔走させられた。そのお蔭《かげ》で鳶沢丸に積んできた絹物の大半が捌《さば》けた。

その日夕暮れのことだ。総兵衛の居室に笠蔵、信之助、国次が呼ばれ、おきぬが茶を供した。

「国次、ご苦労でした」

と総兵衛が改めて国次を労い、笠蔵が、

「そなたが京・大坂で求めてきた上物の絹の大半が捌けました。絹物の仕入れ値が八百三十五両二分、こちらの捌き値が概算でただ今の時点で二千五百両は越えております。残りの絹物と木綿物の売り上げを合せれば五千両も越えましょうな。総兵衛様、なかなかの商いでございました」

と一座の前で報告した。

元禄時代の一両の現代の換算率は十万円以上か。鳶沢丸の仕入れてきた品が現代の値に換算して五億円以上の総売り上げを得たことになる。

「絹物を町人方が召されるようになって、古着屋商いもひょろびりばかりではなくなりました」

元禄時代の消費傾向が大黒屋の商いを一段と大きくしていた。

「総兵衛様」

と駒吉の声がして、

「読売にうちの落首が載っておりました」

と届けてきた。

「なに、落首ですとな」

と笠蔵が受けとり、総兵衛が笠蔵に読むように命じた。

「なになに、二丁町五丁町をも下に見て富沢町の高笑いかな、ですと。一夜千両の賑《にぎ》わいの芝居町、吉原を抜いてうちが上だというのですか。それはそれはなんとも気持ちのよいことです」

と笠蔵が満足げに笑った。

「大番頭さん、得てしてかような時は気を引き締めないと、どこから矢が飛んでくるか知れませんよ」

総兵衛が引き締めた。

「いかにもいかにも」

と思わず頷《うなず》いた駒吉が、

「これは余計なことを申しました」

と詫《わ》びた。

「ふっふっふ」

と含み笑いした総兵衛が、

「このところ余りにも忙しゅうて、駒吉、過日の報告をちゃんと聞きませんでしたな」

「過日の報告と申されますと吉原の高尾太夫に京友禅を届けたことですか」

「いかにもさようです」

「高尾太夫が小僧の私の手を取らんばかりに大喜びなされて大黒屋の主どのの気遣いはどうでありんすと朋輩《ほうばい》衆や新造に申されたのですが、その顔は満面の笑みでございました。また新造というのですか、禿《かむろ》というのですか、若い遊女衆も届け物を羨《うらや》ましそうに見ておりました」

「その他になんぞ申されませんでしたか」

「高尾太夫が私の耳に口を寄せられて、道三河岸《どうさんがし》の主様も近々参られます、総兵衛様のお越しをお待ち申しておりますと囁《ささや》かれました」

「ほう、道三河岸がな」

「総兵衛様、高尾様は絶世の美女にございますね、それに体じゅうから芳《かぐわ》しい香りがして、この駒吉、不覚にもぞくぞくと身震いがして痺《しび》れました」

「小僧さん、もう用事は済みました」

と笠蔵が険しい声で追い立てようとした。

「大番頭さん、最後に一言申し添えてようございますか」

「まだ報告してないことがありますのか、早く言いなされ」

「総兵衛様が今度大門を潜るとき、小僧さんもぜひお供にと総兵衛様にお願いなされてと高尾太夫が申されました。いえ、私ではございません、高尾様が」

「もう分りました。国次、駒吉を連れて早々にお店に下がりなされ」

と笠蔵が命じ、

「本日は商いが一段落した祝い、台所でも酒を呑《の》むことを許します」

と総兵衛が告げ、国次と心を残した駒吉が離れ屋から下がっていった。

「総兵衛様、駒吉を吉原の使いに立てたのはいかがでございましょうか。あやつ、のぼせあがっておりますぞ。少し厳しく締め上げねばなりますまい」

と笠蔵が吐き捨てた。

おきぬが笑い出し、

「吉原を訪ねてわくわくしない男衆がございましょうか。まして駒吉さんは初めての吉原です。しばらくは夢を見させておいてくださいまし」

と笠蔵を諫《いさ》めた。

「大番頭さん、私が使いに立てたのが悪かったでしたかな。なにしろ私は親父《おやじ》に連れられて最初に吉原の大門を潜ったのは八つか九つでしたからな、禿とお手玉で遊んだことを記憶しております」

「総兵衛様と小僧は違います」

と笠蔵が言い切った。それまで黙っていた信之助が、

「道三河岸が三浦屋に登楼するということは水戸様の大老藤井様の接待にございましょうか」

「間違いない」

と総兵衛が言い切り、信之助が尋ね返した。

「高尾太夫に頼るばかりでは済みますまい。われらも探りを入れますか」

しばし沈思した総兵衛が頷き、

「大番頭さん、今夜高尾に文を書きます。だれぞに届けさせて下され。道三河岸と水戸家大老の登楼の日にちを確かめます」

「総兵衛様、だれがなんと言おうと駒吉はなりませんぞ。少し頭を冷やさねばなりませんからな。さあて、だれにと」

と言いながら笠蔵が考え込んだ。


晩秋九月に月が移り、富沢町では綿入れの季節を迎えていた。

そんなある日、総兵衛は駒吉の船頭で猪牙舟に乗り、入堀から大川上流へと向けた。

「総兵衛様、昼遊びにございますか」

「昼遊びですと。そなた、なんぞ勘違いをしておりませんか」

「いえ、猪牙を上流に向けるとなれば参られるところは山谷《さんや》堀《ぼり》で決まりにございましょう。高尾太夫とお会いになりますので」

「過日、そなたを吉原に使いを出したのは間違いであったかもしれぬ。そんな気がしてきた」

「総兵衛様、この駒吉め、吉原の門を潜ったからと申し、浮ついた気持など全くございません。ただ」

駒吉はその先を言いよどんだ。

「ただなんですね」

「高尾太夫にはお会いしとうございます」

「これはまた正直な気持ちかな」

水戸藩の大老藤井紋太夫が側用人《そばようにん》柳沢保明を吉原に接待し、三浦屋に登楼した。

その日は柳沢保明は吉原にて一夜を明かすことなく引き上げていた。

総兵衛の命で鳶沢一族の密偵が三浦屋の二階座敷の天井裏に忍んだが、大した話は聞けなかった。

だが、大門前に密《ひそ》かに待たせていた柳沢の乗り物が一丁増えていることが分かった。この増えた乗り物の中に藤井紋太夫からの手土産が乗せられていた。十三、四歳の美少年で、衆道好みの柳沢保明はその癖《へき》を糊塗《こと》するために吉原に招かれることもよしとしていた。

手土産は水戸藩駒込別邸の中間《ちゅうげん》の倅《せがれ》の雄次郎であったそうな。かようなことは道三河岸の柳沢屋敷に潜り込ませていたおてつと秀三の報告で後日に分かったことだった。

「駒吉、舳先《へさき》が今戸橋のある山谷堀へと近づいておりますぞ」

と総兵衛が駒吉に注意した。

吾妻橋《あずまばし》を潜った辺りでだ。

「えっ、いけませぬか」

「反対側の源森川《げんもりがわ》へ願います」

「どちらに参られるので」

駒吉が訝《いぶか》しそうに問い返した。

「小梅村の水戸様のお屋敷ですが、それがなにか」

総兵衛の答えに駒吉が愕然《がくぜん》とした様子に総兵衛がにやりと笑った。

この日、水戸光圀と総兵衛の話し合いは一刻半《いっときはん》(三時間)に及んだ。話すのは主に総兵衛で光圀は聞き役に徹した。

話が終ったとき、光圀が、

「中間とは申せ、紋太夫は水戸家の家中の子を人身御供《ごくう》に成り上がり者に差し出したか」

と嘆息した。

この夜のうちに光圀は川越藩主、綱吉の側用人柳沢保明に宛《あ》てて、綱吉の儒学の講義をこれからも聴聞したいゆえ、取次ぎ方を願うと懇請の書状を書き送っている。

これが九月二十六日のことだ。

そしてその翌月には、予《かね》て嘆願の件、末座でよいゆえ召し出してくれるように再度申し入れている。

その結果、十月晦日《みそか》、和歌山藩主の徳川光貞、甲府藩主の徳川綱豊らと登城し、綱吉の講義を聞く機会を得た。

この講義のあと、光貞は能楽『野宮《ののみや》』の一節を、綱豊は『蘆刈《あしかり》』を、光圀は

『葵上《あおいのうえ》』をそれぞれ謡《うた》い、綱吉みずからは仕舞を演じていた。

光圀は保明に宛てて、

「今日ハ至迄御講釈御仕舞心頭不離、最早又恭聞拝見念願御座候」

と異常なまで丁重な礼状を書き送っている。

綱吉の儒教の講義など光圀にとってはお笑い種《ぐさ》に過ぎなかった。それでも光圀は綱吉に阿《おもね》った。

そして、隠居したとはいえ、元水戸家藩主であった水戸光圀は綱吉の代弁者の柳沢保明になぜかくも遜《へりくだ》ったか。

総兵衛との話合いの末としか言いようがない。

光圀は水戸藩のために決断した。

二

元禄七年（一六九四）十一月二十三日。

光圀は明け六つ（六時頃）に小梅村の屋敷を船で出て、大川を下り、神田川に入ると水道橋の船着き場に到着した。

陰暦十一月下旬のことだ。

小梅村出立の折はまだ薄暗かった。

だが、神田川を遡《そ》行《こう》するころ、朝の光が土手と水面に差し込んできた。

光圀の供は井上玄桐《げんとう》、安積澹泊《あさかたんぱく》ら数人であった。その中に水戸から随行してきたという一人の継裃《つぎがみしも》姿の偉丈夫が加わっていた。

光圀にとって江戸滞在は最後の機会だ。

心置きなく江戸との別れを惜しんでいるかのように光圀は神田川の冬景色を静かに愛《め》でていた。

この日、光圀は小石川藩邸に老中大久保忠朝《ただとも》、阿部正武、戸田忠昌、土屋政直、諸大名、旗本らを招いて江戸に別れを告げる能興行を催すことにした。

光圀も自ら『千手《せんじゅ》』と『猩々《しょうじょう》』を舞う予定で、数日前に藩邸にやって来るや能舞台と楽屋を丹念に調べ、とくに鏡の間ではどこに屏風《びょうぶ》を立て、屏風をそこからこちらに引け、など事細かに指示を出していた。

能興行が遺漏なく進められるよう改めて能舞台から楽屋までを確かめた光圀はそれでも気が済まぬか、さらに囃子《はやし》方《かた》の笛、小鼓《こつづみ》、大鼓、太鼓の四役の確認までなした。

小石川藩邸に綱條《つなえだ》は不在であった。

五月十日に帰国を許された綱條は未《ま》だ水戸にいた。

その最中の能興行である。

高松から従ってきた綱條派の家臣にすれば、

「いくら水戸のご老公といえどもご無体な催しではないか。主不在の折に表舞台から引き下がったご隠居がなにゆえ、老中大名諸家を招いてかくも晴やかな能興行を催されるか」

と不快を口にし合っていた。

なによりなぜ綱吉は光圀の出府の、

「上意」

を発したか。綱條の家来たちには理解ができなかった。

初め出府の要請は光圀からなされたものではないかと考えられた。

だが、光圀の身辺を調べても光圀が出府に積極的であった事実は見つからなかった。このころの光圀の心情を表す言行録『桃源遺事《とうげんいじ》』にも、

「隠居の身にして、参府の窺《うかが》ひ不相応の義也《なり》、自然めさせられ候《そうら》はば、参府もすべし」

と書き残されている。

そんな心境の最中の元禄六年十二月六日、老中阿部豊後守《ぶんごのかみ》正武から水戸藩大老藤井紋太夫を通じて参府の上意が伝えられたのだ。光圀は、

「御差図御座候はば、早速に罷《まか》り上るべき覚悟に御座候」

と返書している。だが、同時に、

「十四、五年来の下血」

の持病を理由に登城を辞退し、綱吉との謁見《えっけん》は婉曲《えんきょく》に断っている。

「生類憐《しょうるいあわれ》みの令」を巡って綱吉と光圀は決して良好な関係にはなかった。ゆえに光圀は、

「出府はするが登城は叶《かな》わず」

との意思を示したのだ。

一方水戸徳川家では二代目光圀が隠居したあと、綱條が全権把握をしたとは言い難い状況にあった。そのような折、光圀の出府がどのような影響を江戸の水戸藩邸に与えるか、だれしも容易に考えられることだ。その上、定府のはずの綱條は水戸にいた。

綱吉が徳川一門の長老、隠居の光圀に、

「生涯最後の華を持たせるため」

と考えるより、

「綱吉体制を決定づけるために光圀の暗殺」

を企《たくら》んでのことではないかと光圀は推測した。

光圀が小石川藩邸を訪れたとき、藩の執政にして大老の藤井紋太夫は挨拶《あいさつ》に罷りこした。

「おお、紋太夫か、息災でなによりじゃ。本日は綱條どの不在の折、藩邸を借り受けて能興行を催すがよしなに願う」

光圀が紋太夫の先手をとった。

「なんのことがございましょうか。綱條様ご帰国の折、光圀様には綱條様に代わりてのご老中、大名諸家とのお付き合い、ご苦労に存じ上げます」

「分ってくれたか」

「城中では未だ光圀様のお力を頼りにしておられるお方がございます。ご老公にご負担をお掛けして相すまぬことにございます」

　如才なくも紋太夫がこう応じ、光圀に糾《ただ》した。

「本日、柳沢保明様はお呼びではございませんでしたか」

「側用人どのには過日に別れを告げたでな、上様のお側用人としてご多忙なこともある。お招きすることを敢《あ》えて遠慮した」

　と答えた光圀が、

「紋太夫、道三河岸をお招きしたほうがよかったかのう」

　と訊《たず》ね返した。

「いえ、柳沢保明様は綱吉様のお覚え目出度きお側用人ゆえ、光圀様がお招きしたかとこの紋太夫勝手に考えたまでにございます」

「綱條どのの今後を考えれば道三河岸を呼ぶべきであったかのう。光圀、いささか考え過ぎてしくじったか」

「いえ、宜《よろ》しきことにございます」

綱吉によるお召しで参府してきた光圀の存在の大きさを藤井紋太夫は嫌というほど思い知らされていた。そして、小石川藩邸内を未だ掌握しきれていない綱條の力不足に切歯していた。

なんとしても江戸藩邸から光圀派を一掃せねばならなかった。そのためには綱吉の側用人柳沢保明の力を借りることがもっとも大事と考え、綱條の許しを得て紋太夫は、柳沢との接触を図ってきた。

紋太夫は、本日の能興行へ柳沢保明を招かなかったのは、却《かえ》ってよかったことかと考え直した。柳沢保明と紋太夫の関わりを光圀に悟られないためだ。

「ご老公、本日はなにを演じられますな」

「江戸との別れに『千手』と『猩々』を演じようかと思うておる。年寄にはいささか荷重《におも》かのう」

「いえ、光圀様のお元気は並みに非《あら》ず。六十七歳の翁《おきな》とはとても思えませぬ。シテ方を二つも演じられるとあれば客方も大いに堪能《たんのう》されましょう」

「そうか、そうかのう」

「ご老公、本日、わが妻子もご老公の能見物を楽しみに致しております」

「なに、紋太夫の妻子も参るか」

光圀は驚きの顔を見せたが重臣の家族らを招くよう指図したのは当人だ。だが、正直紋太夫の家族が見物するとは考えていなかった。

「家臣ともども家族も楽しみに致しております」

「ならばこれより楽屋にて心を鎮《しず》めて胸の中で『千手』の動きを瞑想《めいそう》しようか」

光圀のもとを紋太夫は去った。

改めて藤井紋太夫のことを記しておこう。

幕臣荒尾久成の四男として生まれ、同じ家系の荒尾家から出た水戸家に仕える老女某に養われて藤井姓を名乗った。

寛文六年（一六六六）、御前小姓二百石で召し出され、天和元年（一六八一）に中老兼書院番頭八百石、同三年に史館提挙を兼ね、貞享四年（一六八七）には大番頭にと、とんとん拍子に昇進し、

「執政旧のごとし」

と異例の出世ぶりを『水戸紀年』は評したほどだ。さらに元禄六年六月十八日には、肥田政大《ひだまさひろ》、伊藤友親《ともちか》とともに水戸藩大老に登り詰めた。

この昇進の背後にはまず光圀に才識を認められたことが上げられるが、紋太夫自身にもなみなみならぬ政治手腕と外交の才があったことは確かだろう。

光圀が元禄三年に家督を綱條に譲った折、紋太夫は綱條を光圀に代わるべき御三家内の重鎮に育てあげようと心に決めた。それが藤井紋太夫の安定へとつながるのはいうまでもない。

ひっそりと水戸光圀の楽屋内の隅に一人の男が控えていた。水戸から伴った光圀の警護方某のいでたちは小袖《こそで》、肩衣《かたぎぬ》、袴《はかま》の継裃姿であり、近江守法城寺橘正弘が鍛造した菖蒲《しょうぶ》造りの小さ刀、刃渡り一尺一寸余を腰に差すのみだ。むろん大黒屋総兵衛こと鳶沢総兵衛であった。

光圀の『千手』の衣装の着付けを能方の二人が手伝い、光圀が段々とシテ方千手の前へと変じていくのを総兵衛はひっそりと見守った。

『千手』は、光圀が得意として何度も舞ってきた演目であった。一の谷の戦で捕らえられた平重衡《たいらのしげひら》は鎌倉に送られ、狩野介宗茂《かののすけむねもち》に預けられ、死を待つ身の上に落ちた。手越《てごし》の長の娘、千手は頼朝に遣わされて重衡を見舞い、出家の願いが叶わぬことを伝えた。

意気消沈する重衡を慰めようと、

「十悪といふとも引摂《いんじょう》す」

と大罪人でも仏は極楽へと迎えとると朗詠する。そんな千手の気遣いに重衡の心も解け、琵琶《びわ》を弾き、千手も琴を奏して合わせた。だが、夜明けとともに重衡は再び都へと送られて死出の旅路につき、千手は泣く泣く見送るというのが『千手』のあらすじだ。

六十七歳の翁が千手の前という女子を演じるために楽屋を出て、鏡の間に移った。総兵衛も従った。

鏡の間は能役者が素の人間から舞台上で演ずる虚構の人物へと変身する場であった。

千手の小面《こおもて》を付け、扇子を手にした光圀が平重衡の心情を想《おも》う女子に変身しているのを総兵衛は驚きの眼差《まなざ》しで見ていた。

そのとき、能舞台からもの静かな笛の独奏、名ノリ笛が聞こえてきた。

ワキの狩野介宗茂の名ノリが始まった。

「これは鎌倉殿の御内《みうち》に、狩野の介宗茂にて候、さても相国《しょうこく》の御子《おんこ》重衡の卿《きょう》は……」

床几《しょうぎ》から光圀が、いや、千手の前が立ち上がった。すでに若い女の身のこなしで静々と揚幕の前に移動した。

総兵衛も揚幕の傍らへと移動していた。

次第の囃子と変わり、シテ方の登場に揚幕が開いた。

「琴の音《ね》添へて訪《おとづ》るる、琴の音添へて訪るる、これや東屋《あづまや》なるらん」

総兵衛は千手の前に身を変えた光圀を見送ると両眼を閉ざした。

光圀がおそらく生涯最後に舞い納める『千手』であった。

総兵衛は、千手の前の舞台をただ瞼《まぶた》の裏に描いていた。

「身はこれ槿花《きんか》一日《いちじつ》の栄《えい》、命は蜉蝣《ふゆう》の定めなきに似たり、心は蘇武《そぶ》が胡国《ここく》に捕はれ、岩窟《がんくつ》の内に籠《こ》められて、君辺《くんぺん》を忘れぬ志……」

囚《とら》われの身の重衡に頼朝は寵愛《ちょうあい》する美しい千手を差し向けてくれた。重衡のこの世への諦《あきら》めと執念、頼朝への信頼と憂《うれ》い、千手の美しい姿と挙動が溶け合って流れていく光景が総兵衛の脳裏に浮かんでいた。そして、総兵衛には千手の相手の平重衡が妻紅《つまくれない》の鬘扇《かずらおうぎ》をぱらりと開いて琵琶に見立てた動きといっしょに千手の琴と合わせたとき、平家の公達《きんだち》の哀しみが想像できた。

瞑目《めいもく》の時が流れていく。

烏帽子《えぼし》も直垂《ひたたれ》もなく、咎人《とがにん》としての身なり、出家を願い出た袈裟《けさ》姿の重衡に出立が告げられ、事の成り行きに茫然《ぼうぜん》と立ち尽くす千手の前を通り過ぎる重衡が束《つか》の間《ま》、歩を緩める、その微妙な間合いまでもが総兵衛には見えた。

地謡《じうたい》が上げ歌を謡い納める。

「……袖と袖との露涙《つゆなみだ》、げに重衡の有様、目もあてられぬ気色《けしき》かな、目もあてられぬ気色かな」

いつしか本舞台から橋掛かりに千手の気配がして揚幕が開かれ、屏風を引き回した鏡の間で千手の面をとった光圀が、

ふうっ

と息を一つ吐いた。

総兵衛も見所《けんしょ》から伝わってくる溜息《ためいき》を背に感じながら屏風の内外が見える場所に座を移した。

鏡の間に屏風を立て回したのは光圀だ。

最初に鏡の間に姿を見せたのは、井上玄桐だった。見所の客らの反応を光圀に伝えようとしたのだ。その機先を制した光圀が、

「格別な用事なければ藤井紋太夫どのをこれに呼んでくれぬか。ただし大老は老中方、大名諸家の饗応《きょうおう》に忙しい身である、多忙なれば来るに及ばず」

と願った。

玄桐は早速紋太夫を探すと見所の一角に姿を見付け、光圀の意を伝えた。

「光圀様がお呼びにござるか。ご老公は『猩々』を続いて舞われるのではなかったか」

と紋太夫が訝しげに呟《つぶや》きながらも、

「ご老公に差し障《さわ》りなくばいずれへなりとも連れて行ってくだされよ」

と上機嫌に玄桐の使いに従った。

玄桐は紋太夫を鏡の間の入口に案内し、紋太夫が屏風の外に控え、玄桐はさらに後ろの板張りに座した。鏡の間の反対側に儒官の三木之幹と秋山正路が控えていた。

玄桐は屏風の中を覗《のぞ》こうかどうか迷った。

紋太夫にも立て回した屏風の陰で光圀の姿は見えなかった。

紋太夫の斜め前に見知らぬ継裃の従者が控えていた。

（はて何者か、どこぞで見た顔じゃが）

紋太夫が怪訝《けげん》に思ったとき、光圀の咳《せき》ばらいがして、

「紋太夫どの」

と呼んだ。

はっ、と答えつつにじりよって屏風を回り込むと、千手の面をとり摺箔唐織《すりはくからおり》の能装束姿の光圀が床几に腰を下ろしていた。

「これに」

と答える紋太夫に光圀が手招きして大老を傍らに呼び寄せた。

之幹と正路は首をねじって屏風の中を覗き込んだ。

紋太夫も眼の端にその動きを捉えたが二人とも光圀の忠臣だ、なんの疑いも抱かず光圀の傍らににじり寄って頭を下げた。

光圀は千手の面は外していたが、衣装は若い女のそれだった。

紋太夫が顔を上げかけた瞬間、きらりと光圀の手に刃があるのが眼に映じた。

（な、何事か）

光圀の動きは機敏だった。

もう一方の手でむんずと紋太夫の襟首を摑《つか》むと床几から伸《の》し掛かるように体を預けて紋太夫を膝下《しっか》に組み伏せた。首を床へと押し付け口から声が漏れぬようにして、右手に構えた小さ刀法城寺橘正弘を胸上、喉下《のどした》の横骨と横骨のくぼみ、欠盆《けつぼん》を確かめながらひと刺しずつ深々と二度刺した。

之幹と正路は眼前で行われている出来事が能舞台で演じられる舞いの一つかと幻想した。

（光圀様が乱心なされたか）

一瞬、二人の儒官は考えた。

そのとき、二人は視線を感じてその方を見た。従者として光圀にこのところ従っていた大黒屋総兵衛が冷徹な眼差しで睨《にら》んでいた。

正路は総兵衛の腰に小さ刀の鞘《さや》だけがあるのを見た。

(光圀様と総兵衛が結託しての行動であったか)

正路は屛風の中へ視線を戻した。

光圀が紋太夫の衣服で刃を拭《ぬぐ》うようにして抑えながら抜くと小さ刀からは一滴の血も滴《したた》り落ちなかった。慌てた様子は爪《つめ》の先ほども感じられない冷静な行動であった。

「もはやよかるべきぞ」

光圀が呟くと小さ刀を総兵衛に差し出し、総兵衛が畏《かしこ》まって受け、念のためにか懐紙で刃を拭うと鞘に納めた。

その場で目撃した儒医井上玄桐は、その瞬間を『玄桐筆記』にこう記し残す。

「血の胴へ落ちる音かふかふと聞へて、其儘《そのまま》事きれぬ」

かふかふとは紋太夫の傷口二カ所から血が吹き出し胴へと回って流れ落ちる音であった。

「玄桐、次なる演目『猩々』は能役者島屋吉兵衛に代わりを務めさせよ」

「はっ、は」

玄桐は異変から目を逸《そ》らすと慌てて返事をした。

「一同、このこと、招いた客らに決して気付かれてはならぬ」

と命じた光圀は総兵衛だけを伴い、本邸の光圀の居室に戻った。

しばらくすると真っ青な顔をした玄桐と安積澹泊とが光圀のもとへ指示を仰ぎに姿を見せた。

「見所はどうか」

「客方は『猩々』も光圀様が舞われておると勘違いして誉めそやしておりまする」

と玄桐が応じた。

「老中、大名諸家にはくれぐれも異変を悟られるでない」

「はっ」

と畏まった玄桐が異変について尋ねようかどうか迷った顔を見せた。

「玄桐、不慮の為合《しあ》いである。老後の不調法、真《まこと》に宰相殿（綱條）には申し訳なき次第であった」

光圀は不慮の為合い、老後の不調法と紋太夫刺殺を忠臣に説明した。

だが、思いがけない為合いでも老人の不調法でもないことは歴然としていた。

あの場にあった者は、光圀の冷徹な行動を見ていた。

六十七歳の老人の所業とも思えぬ力強い刺殺であった。

明確な考えがあって意図された重臣殺しであった。光圀がただ一人大黒屋総兵衛の助けを得て、決行した企てであった。

澹泊が、

「光圀様、藤井家の家族が能見物に参っておりますがいかが致しましょうか」

「他の客らに分らぬように屋敷内に隔離致せ。されど乱暴な扱いはならぬ」

と命じた。

後のことだ。

藤井家の妻子は親類預けになり、事情を知らされた綱條が、

「男子二人は誅《ちゅう》すべきではございませぬか」

と光圀に糾《ただ》すと、

「父は罪ありて殺しぬ。子には罪なし」

として減刑を願った。ために男子二人は翌年に出家し、娘二人は二年後の元禄九年に、

「縁づくとも奉公なりとも勝手次第」

と水戸家から沙汰《さた》が出た。

三

光圀は能装束を水戸から着てきた木綿ものに着替えると、附家老の中山備前守信治に宛てて書状を認《したた》めた。その中で、

「常々存念これ有と雖《いへども》」

と明確に計画的な犯行であることを告げ、

「宰相殿の思召《おぼしめ》し、迷惑に存ずる。宜しきようご沙汰願いたい」

旨《むね》を書き添えている。

さらに光圀は幕府に提出する届書の文案を考えた。一番肝心な釈明である。

「さて幕府に差し出す届書じゃがどう認めたものか。総兵衛、そのほうの存念

を光圀に聞かせよ」

　と光圀が命じた。

　しばし沈思した後、総兵衛は自らの考えを語った。しばらく耳を傾けていた光圀が巻紙を手に筆を走らせ、書き終えた書状を総兵衛に見せた。

「宰相家来藤井紋太夫儀、我ら代はりて取立て候て、用達役迄《まで》申付候。然《しか》れども、此《この》者儀、不届の義有り候に付、宰相行々迄為、心元《こころもとな》無く存じ、其《その》者へも意見致し候様に申し聞かせ候得共、承引致さず、家中の士共始め百姓に至る迄、安堵《あんど》致さざる様子に相成り候に付き、常々難儀に存居《ぞんじをり》候。宰相殿参府候折、得《とく》と相談遂げ仕《つかまつ》るべしと存居候所、今日能興行致し、楽屋にくつろぎ居候所へ、紋太夫帯剣のままにて、我ら側《そば》迄罷《まか》り越し候。兼々《かねがね》叱《しか》り申し候義もこれ有る故《ゆゑ》、案外に存じ、指当《さしあた》り堪忍《かんにん》致され難く、成敗申し仕候。已上《いじやう》」

　書状では紋太夫の成敗の理由の一つに旧主の前に帯剣してきたことを挙げている。突発的に成敗したように思えるが、その実光圀は予《かね》てから熟慮したことを断行したと届書は読み取れるものだ。

　いずれにせよ、水戸家の揉《も》め事であると主張していた。

「これで、どうじゃ」

と総兵衛に届書を見せ、

「遺漏ございませぬ」

と答えた。

届書の文面は、帯剣を表の理由として押し通そうとする意図に貫かれていた。

幕府への届書のあと、紋太夫とともに執政職にあった大老の伊藤友親、肥田政大の二人を呼ぶと、

「藤井の屋敷を捜索し、関係書類の処分」

を命じた。その折、光圀は二人の執政に事が及ばぬように、

「当座の口論にて此《かく》の如《ごと》く致したり」

と申し述べ、私的に成敗したとここでも言い通していた。

だが、事実はさに非ず、用意周到の上での、

「誅殺」

であった。

藤井紋太夫が藩政を壟断《ろうだん》するような横暴を始めたのは光圀隠居後のことだ。

光圀が隠居して西山荘に引きこもって二年後の元禄五年ごろからかとおよそ推測された。

『桃源遺事』によれば紋太夫の言動は、

「おのれによからざるものをば、甚だ憎み、あしざまに言上して、厳しく刑罰を加へ、己に追従《ついしょう》軽薄を致す者をよみする事も、又甚だしく、よきやうに取りなし、官職をす丶ませ申候」

と言う風に変化を始めていた。

ために反対派は追い詰められ、元禄六年九月には有賀半蔵正乗が自殺を図り、奉行、目付役など水戸家の中士が十八人も処断されていた。

光圀隠居後、水戸家の藩政の箍《たが》が外れ、藤井紋太夫派とそれに反対する一派の権力闘争が始まり、紋太夫は反対派を改易、召し放ち、役禄《やくろく》没収、蟄居《ちっきょ》などの沙汰で駆逐し、藩政の実権を握った。

藩を手中に収めた藤井紋太夫は次なる狙《ねら》いとして水戸家の対外的な地位の安泰のために柳沢保明の力を借りようと企てた。

そんな折、元禄七年五月に綱條に初めての帰藩の許しが出て、反対に隠居の光圀を江戸に迎えることになった偶然が、藤井紋太夫の思惑に齟齬《そご》をきたし、不運を呼んだとしかいいようがない。

光圀は隠居した後も水戸家の藩政の動きを西山荘より注視していたのだ。紋太夫は藩政の全権を掌握した有頂天に己を抜擢《ばってき》し重用した光圀の冷徹と非情を忘れていたか。

光圀は最後となるべき江戸逗留《とうりゅう》の半年に藤井紋太夫の行状を冷厳に見極めていた。

それにしても六十七歳の隠居が見せた果断冷静の行動とわずか二刺しで絶命させた手際《てぎわ》と筋力、見事というほかない。

この日、すべての跡始末を終えた光圀がようやく緊張を解いたのは夜半近く四つ半（午後十一時頃）過ぎのことだ。

「酒《ささ》を少しもて」

と命じた光圀は近臣のみを相手に酒を呑《の》み始めた。

「総兵衛、なんぞ言いたげな面付《つらつ》きかな」

と光圀が井上玄桐らに交じって盃《さかずき》を手にした総兵衛に言いかけた。

「ご老公がお味方であってようございました」

「うーむ、神君家康様の亡骸《なきがら》を護衛して久能山から日光霊廟《れいびょう》にお移し申し上げた鳶沢一族の頭領とも思えぬ言辞かな」

この場にある安積澹泊、井上玄桐らは貞享《じょうきょう》五年（一六八八）以来の大黒屋総兵衛と光圀の付き合いを知る者ばかりだ。だが、はっきりと光圀の口から総兵衛とその一族が隠れ旗本であることを耳にしたのは初めてのことだった。

「戦国の気風を残した御代に成長なされた方々の豪胆をこの総兵衛、初めて目《ま》の当《あた》りに致しました」

「死んでも死に切れんでな」

「一つお伺いしてようございまするか」

「なにか」

「なぜわざわざ能舞台の日に為《な》されましたな。藤井紋太夫どのは大老とは申せ、ご隠居様の前では一家臣に過ぎますまいに」

「なぜわが手を血で穢《けが》したか、なぜ大勢の客を招いた日に事を為したか、問うや。そなたなら答えを持っておろうに」

とだけ光圀は家臣の前では答えた。

四半刻余り光圀の傍らにあり、酒を付き合った井上玄桐らはその場を総兵衛に任せて早々に辞去した。

藤井紋太夫の亡骸の始末、また藤井派の動向、綱條の忠臣らの行動への対応などやるべきことは山積していたからだ。

光圀が能舞台の鏡の間で紋太夫を刺殺したことは、亡骸を片付けた目付、用人のどちらかの口から重臣の一部に伝わっていた。むろん客らが小石川藩邸を去ったあとのことだ。

情報は波紋のように広がり、屋敷じゅうが異常な静けさに包まれた。そのあと、ざわざわとした不安が支配した。

だが、光圀が当初二人の執政に対して発言したように、

「当座の口論」

のせいで紋太夫を刺殺したわけではなくて、騒ぎの五、六日前から周到に企てられた成敗であることが伝えられると、屋敷は平常に戻ったように思われた。

だが、この平常は、

「新たなる異変」

を孕《はら》んだ静けさであることはだれにも分っていた。

水戸の綱條に向けて次々に早馬が出立したが、藩邸内の対立する各派は行動を控えた。

なにしろ水戸藩の英明なる二代藩主、定府のご意見番が自ら手を下した処断だ。だれもがその行動を訝りつつも動きができないでいた。

そんな最中、光圀が忠臣らといっしょに酒を呑み始めたと知った藤井紋太夫派の面々は、

「ご老公の策と行動に破れたり」

と落胆し、自らの身に沙汰が下ることを恐れた。その日まず伝わってきたのは、能見物の藤井家の妻子の軟禁と藤井紋太夫付きの与力三人が召し放ちになったことだった。

紋太夫の腹心池谷七郎兵衛は、光圀の居室での酒盛りの話を伝え聞いて、即刻小石川藩邸から抜け出た。むろんそのことは予測されたことだ。

その報告を聞いた光圀は総兵衛に、

「いよいよ最後の難儀は水戸への帰路か」

と呟いたものだ。

「御意」

とだけ総兵衛が短く答えた。

「総兵衛、そなたの助けで水戸は救われた」

「なんのことがありましょうか」

と応じた総兵衛は水戸への出立の日を確かめた。

「藩邸内が伊藤友親、肥田政大の両執政の下《もと》に平静を取り戻すには三、四日かかろうか。それを確かめ、隠居暮らしに戻る」

光圀は藩邸の落ち着きを待って水戸へ帰国すると言い切った。

ということは綱條が江戸に戻るまで光圀が小石川に滞在し藩政に容喙《ようかい》するようなことはしないという意味であり、西山荘から江戸への院政を敷く気持ちもないことを示していた。

「相分かりました」

総兵衛はなんぞ起るならば今晩こそいちばん可能性が高いと考えていた。

庭先で人の気配がした。

「暫時《ざんじ》失礼を」

総兵衛が立ち、縁側に出た。

師走《しわす》に近い陰暦十一月も二十三日の夜だ。

庭は漆黒の闇《やみ》に包まれていた。

「池谷七郎兵衛どの、神田橋外の知足院に入られました」

信之助が報告した。

「いささか気が動転し、いきなり化けの皮を剝《は》がしよったか」

「今のところ藩邸内に目だった動きはございませぬ。ただ、いつ何時なりとも
ご老公が退出される手配はしてございます」

「直《す》ぐに動かれることはあるまい。船は神田川に待機させよ」

と命じた総兵衛が光圀の座敷に戻ると、光圀が小さ刀の手入れをしていた。

藤井紋太夫を刺殺した近江守法城寺橘正弘だ。

但馬《たじま》に生まれた刀鍛冶《かじ》の橘正弘は、のちに江戸に出て滝川三郎太夫と称し、
江戸法城寺派を率いた。作風は虎徹《こてつ》に似ていた。

なぜ藤井紋太夫の誅殺に正弘を用いたか、総兵衛は凶行に及ぶまで分らなかった。だが、欠盆を深々と刺し貫いた正弘の切っ先の切れ味を見て得心した。

光圀はそのことを承知していたのだ。

「池谷七郎兵衛、知足院に飛び込んでございます」

「愚か者が」

光圀の言葉を総兵衛は理解した。

主の藤井紋太夫を失った池谷七郎兵衛の使い道はもはやない。とするならば、池谷は囚《とら》われの身か、それともすでに口を封じるために始末されたと言外に告げていた。

「総兵衛、予が身罷った節にはこの一振り、そなたに遺《のこ》しておく」

「紋太夫様の霊に祟《たた》られませぬか」

「いささか有頂天になりて己の力量と立場を忘れた藤井徳昭《のりあき》にはさような力はないわ」

「頂戴《ちょうだい》する日ができるかぎり遠い先でありますことを願っております」

と答えた総兵衛に、

「まずは江戸の用事はすべて果たした」

と光圀が呟いた。

その夜、光圀の寝所から、
ごうごう
と響き渡る鼾《いびき》が隣室に床をとる総兵衛を悩まし、紋太夫の吹き出した血の流れ落ちる音に重なった。

夜明け前、総兵衛はうつらうつらした。

「総兵衛様」

と信之助の声がした。

「なんぞ起ったか」

「門前に池谷七郎兵衛の骸《むくろ》が投げ出されておりました」

光圀の勘は当たったと思った。

「始末はなしたな」

「即刻門内に引き入れ、安積澹泊様を通じて目付どのに始末方を願《ねご》うてございます」

「よし、引き続き神田橋外を見張れ」

と総兵衛の返答は短かった。

信之助の気配が消えると光圀が眼を覚ました気配があった。

総兵衛は声をかけ、襖《ふすま》を押し開いた。すると光圀は寝床の上に起き上がり、煙管《きせる》を手にしていた。

「隆光め、予の仕業と推測していたずらを仕掛けおったか」

池谷は藤井紋太夫が殺されたことは承知していても、光圀自ら手を下したとは承知していない筈《はず》だった。そのことは水戸藩邸内でも限られた重臣にしか未だ知らされていないからだ。

水戸の藩政を掌握したかに見えた紋太夫の死は、藤井派の面々には極秘の事項だった。

「本日にも藤井紋太夫と徒党を組んだ者らには蟄居を命ずる。だが、すべてではない。主立った者に限らせる。藩邸内には宰相どのの帰府を待って沙汰を出すよう、二執政にはいうてある」

光圀は藩邸内の騒動に限って始末をつけようと考えていた。

だが、紋太夫の腹心の池谷七郎兵衛が知足院に駈け込んだことによって、隆光権僧正《ごんのそうじょう》の知るところとなり、当然、綱吉の生母桂昌院《けいしょういん》へと知らされ、柳沢保明へと報告が届いたと考えられた。

「ご老公、池谷の骸を門前に放置したは警告にはございませぬか」

うむ、と返答をした光圀が沈思した。

「幕府が光圀の所業を承知しておると告げておるというか」

「いかにもさようかと」

綱吉の側用人柳沢保明が動くとすれば厄介になる。綱吉と光圀は「生類憐みの令」を巡って対立していることは城中で知られた事実だ。

ふうっ
と光圀が一つ息を吐いた。

「総兵衛、予が能舞台の最中に紋太夫を誅殺した謂《いわ》れをそなたに話したか」

「いえ、安積様方の前では曖昧《あいまい》なお話しかなされませんでした」

「どう考えるな」

「昨日の能舞台にはご老中を始め、大名諸家、大身旗本など数多《あまた》の招客をなされました。客人らはご老公の『千手』に満足し、また二番手の『猩々』も能役者島屋吉兵衛が代役を務めたにも拘《かか》わらずご老公が演じたと思うて堪能《たんのう》されたとのこと。ご老公に限らずだれにしても、能興行の最中に人ひとりを殺《あや》めるなどということはなんとも危ない綱渡りにございましょう。鏡の間は、見所脇《わき》の三ノ松に近く、紋太夫がひと声でも発すればすべてが詳《つまび》らかになってしまったやもしれませぬ」

「総兵衛、客で気付いた者がおるか」

「おりますまい。鮮やかなお仕置にございました」

光圀が忍びやかに笑った。

「ご老中以下お歴々が数多見物に訪れている能舞台の鏡の間において、だれが水戸家大老を殺めると考えましょうか。が、ご老公は見事に演じ切りなされました」

「そなたの助けでな」

「後々にこのことが噂《うわさ》になり、能の演目『千手』と『猩々』を演じる合間にご老公が重臣を誅殺したと世間に洩《も》れ広まったとき、またその場にご老中たちを始め、大名諸家、大身旗本が大勢いたと知らされたとき、その騒ぎたるや大変なものとなりましょう」

「総兵衛、『猩々』は島屋吉兵衛が代わりに演じたのじゃぞ」

「客のだれ一人として代役とは思うておりませぬ。ご老公が演じたと信じきって帰路に就かれました。代役の島屋のこと、知るのはわれら極々限られた人間にございます」

「なるほどな」

光圀は他人事《ひとごと》のように嘯《うそぶ》いていた。

「ご老公は最初からそう企てておられたと思うのは考え過ぎにございますか」

「そうなるか」

「ご老公、幕府がその事実を知ったとき、このことを公《おおやけ》に致しましょうか。幕閣のお歴々がその場に居合わせたとなると驚天動地の騒ぎを呼びましょう。ご老中方を糾《ただ》す騒ぎになりまする。ゆえに幕府はこの一件を水戸藩の内政として、看過せざるを得ないと考えられましょう」

「総兵衛、ようもそのような荒唐無稽《こうとうむけい》なことを思い付いたな」

「はて、私めの推量は外れましたか」

総兵衛の返答に光圀は密《ひそ》やかに笑った。

「懸念《けねん》があるか」

「柳沢保明様が面目を潰《つぶ》されたと思われることにございましょうかな」

「柳沢保明な、小者と思うておったが、いつしか厄介な相手になりおった」

「どうなされますな」

「はて、どうしたものか」

光圀も直ぐには思案が浮かばない表情であった。

「この騒ぎがこれ以上大きくならぬよう、また水戸家ご当主を巻き込まぬためにも、早々にご老公は小梅村にお引き上げになるのが宜《よろ》しかろうと存じます」

ふむ、と光圀は応じて思案した。

「今一つ、知足院の坊主《ぼうず》どもは藤井紋太夫の命の代わりにご老公のお命を狙いましょうな」

「きゃつらは富沢町の力をさんざん承知のはずではないか、また狙うなれば愚か者よ。隆光などという生臭坊主の配下の者どもごとき、いつなりとも参るがよい」

と光圀が吐き捨てた。

「ともあれ小石川藩邸から小梅村に早々に戻られることを進言申し上げます」

「よし、早々にめどをつけ小梅村に戻ろう」

「ならばその手配を致します」

総兵衛が指笛を吹いた。すると床下の一角で反応があった。

「予《かね》ての手配をなせ」

床柱がこつこつと鳴らされた。

「小梅村にてさらに数日、幕府と小石川藩邸の反応を見た上で水戸に戻る」

「承知仕りました」

と総兵衛が応じた。

十一月二十四日の昼下がり、小石川藩邸の表門を水戸光圀一行が出た。

竹杖《たけづえ》を突いたご老公には井上玄桐、安積澹泊ら数人が従うのみで、藩邸の表門は早々に閉じられた。

木綿の袖《そで》なし羽織に筒袴《つつばかま》のいでたちはまるで旅仕度だった。水戸藩邸を監視していた何組かの見張りたちは白昼少人数の出立に不意を突かれ、即座の対応が出来なかった。

水道橋際には大身旗本七千石石川伊予守《いよのかみ》の屋敷があった。折から下城してきた伊予守の乗り物が留まり、伊予守が降り立って、

「ご老公、昨日はよき見物をさせていただきました」

と徒歩の光圀に話しかけた。

「伊予どの、年寄の座興じゃ、許されよ」

と応じた光圀が、

「さらばじゃ、伊予どの」

「ご老公もご息災に」

と別れの言葉が交わされ、光圀の一行は水道橋の御船着き場に下りると、大黒屋の用意した早船に乗り込み、神田川の下流へと下っていった。

四

能興行の陰で事件が起こって十日後の十二月四日、綱條が参府してきた。光圀と綱條がどのようなことを話しあったか記録にはない。光圀は水戸帰国を一日も早くと望んでいた。だが、綱條が帰府してきたというのに許しが出なかった。

日一日と光圀が苛立《いらだ》ちを増すのを総兵衛は感じていた。

総兵衛は、光圀や腹心の井上玄桐らに相談することなく大目付本庄伊豆守勝《ほんじょういずのかみかつ》寛《ひろ》に面会を申し出た。信之助を伴ってのことだ。

大目付は将軍の代理として諸大名、旗本を監察する職務である。ゆえに城中の事情には通じていた。

本庄家と大黒屋は先代以来、肝胆相照らす間柄であり、富沢町を束ねる大黒屋がもう一つの貌《かお》を隠し持っていることも承知していた。だが、それを言葉にすることはなかった。

本庄家の書院に通された総兵衛に、

「ご老公がことか」

と勝寛が機先を制するように糾し、総兵衛は素直に頷《うなず》いた。

「そなた、あの日、光圀様の御側《おそば》にあったか」

「従《したご》うておりました」

「総兵衛、厄介に手を染めたな」

「仔細《しさい》を申し上げます」

総兵衛は貞享五年の快風丸の蝦夷地《えぞち》探検の船出に先代の供をして、那珂湊《なかみなと》で光圀に会ったときからのすべての付き合いを勝寛に語った。

勝寛は話を聞いたのち、長いこと沈思した。

「綱吉様と光圀公は本心肌がお合い申さぬ。こたびの参府もお互いになんぞ思惑があってのこととわしは遠目に見守っておった」

大目付の職責として観察していたことを告げた。

「わしも水戸家の能興行にお招きは受けた。だが、あの日は登城日であったゆえ欠席せざるを得なかった。光圀様の『千手』を見逃したのは残念じゃが、ただ今そなたの話を聞くだに厄介に巻き込まれなくてよかったと安堵《あんど》しておるところよ」

勝寛は正直な気持ちを告げた。

「綱吉様のお心を察するのは難しい。お側用人柳沢保明様の口を通すほかに推察することは敵《かな》わぬ」

「柳沢様のお心持ち一つで光圀様にお沙汰《さた》が出ると申されますか」

総兵衛の問いに頷いた勝寛が訊《き》いた。

「光圀公はなにを望んでおられる」

「一刻も早い水戸へのご帰国にございます。幕政にも藩政にももはや口出しなさることはございません」

「さてのう」

と思案した勝寛が、

「光圀公の幕府への届書、わしも読んだ」

「宰相家来藤井紋太夫儀、我ら代はりて取立て候て、用達役迄申付候……」

総兵衛が届書全文を諳《そら》んじた。

「総兵衛、そなた、光圀様が届書を認《したた》められた折、御側におったか」

「存念をお尋ねになられましたゆえ、水戸家内紛の始末として押し通すよう申し上げました」

勝寛がさらに沈思した。そして、

「総兵衛、こたびの一件、そなたの影の役には差し障《さわ》りはないか」

と案じ顔で糾した。

「どなた様かのことをお尋ねなれば、話がついておりまする」

「話がついておるとはどういうことか」

「届書にありますように光圀様の為《な》されたことはあくまで水戸家の内々のこととして始末をつける。それが幕政の安泰、つまりは綱吉様のお立場をお守りすることに繋《つな》がるとの内々の合意を得ております」

と久能山での会見を告げた。

ふうっ、と勝寛が一つ溜息《ためいき》を吐《つ》いた。

「総兵衛、お側用人の柳沢保明様が近々老中に準じられる。光圀様の去就はそのあとに決まろう」

「柳沢保明様の気持ち次第にございますか」

勝寛が頷いた。

「あくまで柳沢様が能興行の日の所業を光圀公に問い質《ただ》されるご所存なれば、われら、行きがかり上、光圀様をお守りせねばなりませぬ。そうなれば泥仕合、綱吉様のご生母桂昌院様に取り入った隆光権僧正一派の所業を世に出さざるを得ませぬ」

「総兵衛、わしを脅してどうなる」

「殿様、決してさような魂胆はございませぬ。もし殿様が柳沢様よりご意見を求められる折あるときは、光圀公を処断されるなれば江戸の外でなさるべきとお答えできませぬか」

「光圀公を早々に江戸から離れさせろと申すか」

「水戸藩ご当主はすでに三代目綱條様にございます。柳沢様も光圀公よりはるかに与《くみ》し易《やす》かろうと愚考致します」

総兵衛は控えの間に待機させていた信之助を呼ぶと、持参した大風呂敷《おおぶろしき》を大目付本庄勝寛の前に差し出させ、すぐに下がらせた。

「何事も迷う気持を揺さぶるのは黄金色のものかと存じます。本庄様のお考えに添って幕閣の方々に届けて下さいませぬか」

「そなた、大目付のわしを賂《まいない》の届け役に使いおるか」

「本庄様でなければかようなお願いは出来ませませぬ。差し当たって千両用意致しました。不足なればいつなりともお届けに上がります」

「総兵衛、いくつに相なった」

「来春には二十二を迎えます」

「そなた、策士よのう」

　本庄勝寛が総兵衛の意を汲《く》んだ。

　平伏した総兵衛の耳に勝寛の言葉が聞こえた。

「柳沢保明様がこと、甘《あも》うみておると手痛いしっぺ返しを食うことになる。気をつけよ」

「ははあ」

　と返答した総兵衛だったが、まさかこの後百年以上もの間怨念《おんねん》に祟《たた》られ、鳶沢一族が数々の死闘を繰り返すことになるとは、努々《ゆめゆめ》想像だにしていなかった。

側用人の柳沢保明が老中に準ずる通達が出されたのは元禄七年の十二月内のことであった。そして、光圀の帰国を許すという将軍綱吉の通達が水戸藩邸に届いたのは師走も押し詰まった二十八日のことだった。

結局光圀が江戸を発《た》ったのは、翌年の元禄八年一月十六日のことだったが、この日付で光圀は柳沢保明と老中阿部豊後守《ぶんごのかみ》に次なる書状を送っている。

「此後《このゝち》とても折々出府の願申上候《さうらふて》而も苦しからざる儀に哉《や》と存じ奉《たてまつ》り候。左候はば格外の身、其《その》上程近く御座候間、一両月の逗留《とうりう》にても幾度も出府致し、宰相屋敷に罷在《まかりあ》り、冥加《みやうが》の為近々とご機嫌をも伺ひ奉り、御序《ついで》も御座候はば御談義御能御仕舞、恭聞拝見を仰付《おほせつ》けられ候はば、如何《い》許難有《かばかりありがた》く存じ奉るべく候」

光圀にはもはや江戸に出てくる気持ちはさらさらない。城中で光圀が決して歓迎されていないことを承知で、これからも出府するぞと皮肉たっぷりに揶揄《やゆ》するような書状であった。

光圀一行は、ようよう江戸を出立して帰国の途に就いた。

夜明け前の刻限、小梅村の水戸藩別邸から、江戸入りしたときと同様の井上玄桐、安積澹泊ら数人の従者たちだけでの旅立ちだった。往路と違うのは一人の従者が槍持《やりも》ちとして従っていたことだ。

一行は別邸より船に乗り、千住大橋に到着し、それより水戸街道を進んでいくことになる。

光圀の歩みに合わせた旅だ。

江戸から水戸まで三十里ほど（約一二〇キロ）、通常二泊三日で旅する行程を六泊七日のゆったりとした道中となった。一日に均《なら》すと四里（約一六キロ）強の歩みだ。

千住宿を出ると柴又帝釈天《しばまたたいしゃくてん》に立ち寄って詣《もう》で、矢切の渡し船で江戸川を渡って松戸宿に到着すると一夜目を迎えた。

千住宿から松戸宿まで三里六丁となんとも長閑《のどか》な旅路であった。

二日目、松戸宿から一里二十八丁先の小金宿に向った。

春は名のみ、その昔風早郷《かざはやごう》と呼ばれ、下総《しもうさ》の豪族千葉氏一族の所領地であった小金に冷たい風が吹き荒れていた。

ために頭巾《ずきん》を被《かぶ》り、塗笠の紐《ひも》を顎《あご》でしっかりと結んで寒さを避けた光圀は竹杖を突きながら一行の先頭を進んだ。その傍らには偉丈夫の武士が常に従っていた。

小金宿を出ると広大な原野に出て、一層風が強くなった。風早郷は江戸幕府直轄《ちょっかつ》の小金牧《まき》となり、広大な原野に馬が放牧されていた。だが、朝が早いせいか、寒風のせいか馬影も見えなかった。

黙々と進む一行の耳に馬蹄《ばてい》の音が響いた。

立ち止まった光圀は東の空を見た。

微光が空を染め始めていた。

原野に馬を駆る集団が、立ち止まった光圀一行へと急接近してきた。

光圀の前に偉丈夫が立ち塞《ふさ》がった。

馬を駆る僧兵の集団は饅頭笠《まんじゅうがさ》を手に持ち、杖《じょう》や長刀《なぎなた》を携帯し、中には弓を構えている僧兵もいた。また火縄をくるくると回し、馬の鞍《くら》に油をたっぷりとしみこませた布で栓をした油壺《あぶらつぼ》を下げている者もいた。火炎壺であろうか。その数、二十五、六騎はいた。

水戸街道に光圀一行の他に旅人の影はない。寒風に出立を遅らせたのか。馬群の先頭を走る墨染の衣が片手で一隊を制した。光圀一行とは二十間（約四〇メートル）余りのところで馬群が停止した。僧兵の頭分が大声を張り上げた。

「水戸光圀じゃな」

「ならばどうする」

と光圀の従者の一人が問い返した。

「お命、頂戴《ちょうだい》致す」

「偽《にせ》坊主が現われるのは筑波《つくば》山《さん》と思うたが」

偉丈夫が糾した。

「古着屋総兵衛よな、慢心致したか。光圀と同じく小金牧がそなたの墓場となる」

偉丈夫が笠の紐を解き、頭巾をとった。

「うむ」

と訝《いぶか》しげに声を発した僧兵の頭分が、

「総兵衛ではないな」

「いかにも大黒屋一番番頭の鳶沢信之助」

と名乗ると、光圀も笠と頭巾を取り去り、

「大黒屋大番頭の笠蔵にございましてな、水戸城下に商いに向う道中、なんぞ古着の御用にございますかな。知足院の僧兵さん方」

と嘲笑《あざわら》った。すると従者たちも面体を表し、

「大黒屋四番番頭、風神の又三郎」

「同じく手代の磯松」

「小僧の駒吉」

と次々に名乗りを上げた。

槍持ちに扮《ふん》していた小僧の駒吉が槍を一番番頭の信之助に渡した。

「しゃっ、騙《だま》されたか」

「総兵衛様は光圀様ご一行に同道して海路にて水戸領那珂湊を目指しておられる。この刻限には野島崎を回って安房《あわ》白浜沖でございましょうかな」

「許せぬ」

と集団を率いる墨染の衣の頭分が旗下の面々に、

「古着屋とは仮の姿、あやつらの正体は夜盗の類《たぐい》じゃぞ。一人残らず攻め殺せ」

と命じた。

火炎壺の布に火縄で火を点《つ》けた騎馬の僧兵が馬の腹を蹴《け》ると水戸街道に立ち留まった偽の光圀一行に迫った。

槍を信之助に渡して身軽になった綾縄《あやなわ》小僧の駒吉が鉤《かぎ》の手の付いた綾縄を回すと、
ひょい
と投げた。すると鉤の手が朝ぼらけの小金牧の空に延びて、火炎壺を放り投げようとした坊主の手首に掛り、ぐいっ、と引くと乗り手は馬の鞍から転がり落ちて馬は逃げ出した。

次の瞬間に火炎壺が爆発して坊主を火だるまにした。

それがきっかけになり、隆光権僧正旗下の僧兵と鳶沢一族の大番頭笠蔵らの戦が始まった。

小金牧の柵《さく》を飛び越えた僧兵どもが笠蔵らを囲もうとした。

次の瞬間、小金牧の草叢《くさむら》に伏せていた鳶沢一族の別働隊が矢を放って、馬を駆る僧兵を一人またひとりと鞍上《あんじょう》から射落としていった。

鳶沢一族では必ずや光圀一行の帰路に待ち伏せして命を狙《ねら》う者がいると考え、まず偽の光圀一行を仕立て、総兵衛役を槍の名手の信之助に命じていた。

信之助は、僧兵の一団が小金牧に伏せた鳶沢一族の弓隊に先手を取られ、混乱したのを見てとると、小脇《こわき》に抱えた槍の鞘《さや》をとり、

「大番頭さん、お預け申す」

と鞘を預け抜身の槍を引っ提げて柵を越えた。

目指すは僧兵の頭分だ。

「鳶沢信之助じゃ、その方、名乗りを上げぬか」

「おのれ、山室泰念《やまむろたいねん》が一刀のもとに始末してくれん」

金剛杖に仕込まれた直剣を抜くと杖を投げ捨て、片手に手綱、片手に直剣を構えて馬の腹を蹴り込んだ。

小金牧の草原に立つ信之助は両足を踏ん張り、愛用の槍を扱《しご》くと山室泰念が

突進してくるのを待った。

「そうれ！」

と信之助を馬の前脚で蹴り付け、一気に振り下ろした直刀で打撃を与えようとした山室泰念の逸《はや》りたつ気持ちを見抜いた信之助の槍の突き上げが勝り、山室の胸部を串刺《くしざ》しにして馬から転落させた。

「知足院の僧兵ども、頭分の山室泰念、討ち取ったり！」

信之助の勝鬨《かちどき》に鳶沢一族は無言の内に活気づき、知足院の僧兵どもは浮き足立った。その混乱に乗じて鳶沢一族の弓手が確実に一人またひとりと斃《たお》していった。だが、この中に隆光の腹心波呂路《なみろ》隆角《じりゅうかく》の姿はなかった。


北進する鳶沢丸の甲板では総兵衛と光圀が談笑していた。

左舷《さげん》側に何丈も切り立った崖《がけ》、おせんころがしが見えていた。

笠蔵が扮する偽の光圀一行が小梅村の水戸藩別邸を出たあと、しばらくしてもう一隻《せき》の早船がこんどは源森川から横川を抜けて佃島沖に待ち受けていた鳶沢丸に横付けされ、真の光圀と従者の井上玄桐らが乗り込んだ。

「さすがに大黒屋の持ち船はなかなかの船足じゃな」

「快風丸とは乗り心地が違いまするか」

総兵衛が改めて問うた。

「今じゃから言うが快風丸は今一つ安心できない船であったわ」

「いえ、どのような帆船も海の気まぐれには叶《かな》いませぬ」

「ふっふっふふ」

と光圀が笑った。

「なんぞ可笑《おか》しゅうございますか」

「いや、己の気まぐれもこれで仕舞いじゃ」

「いささか寂しゅうございますな」

「寂しいか」

と呟《つぶや》いた光圀が、

「そなたには気遣いもさせ金子も使わせたな」

と総兵衛に言った。

光圀は大目付本庄勝寛に会ったことを察知していた。総兵衛は一言も応じられなかった。

「光圀のこの命、そなたが大目付どのに差し出した千両で助けられたやも知れぬ」

「もしそうならばお安い買い物にございました」

光圀が声もなく笑った。

「柳沢保明のこと、努々油断するでないぞ」

「大目付本庄様にも忠告されました。総兵衛、胆《きも》に銘じます」

若い友の返答に頷いた光圀の胸中に言葉が浮かんだ。

「立帰る影もはづかし遁《のが》れえぬ浮世の塵《ちり》にしばしまじりて」

あと余生は何年か、隠居の身の寂寥《せきりょう》が悦《よろこ》ばしくもあり寂しくもあった。

終章

元禄十四年（一七〇一）三月十四日。

江戸城中松ノ廊下で騒ぎが発生した。

播磨《はりま》赤穂《あこう》藩五万三千五百石の藩主浅野内匠頭長矩《たくみのかみながのり》が幕府の礼式を掌《つかさど》る高家筆頭吉良上野介《きらこうずけのすけ》に対し、小さ刀を抜くと、

「この間の遺恨覚えたるか！」

と叫んで刃傷《にんじょう》に及んだのだ。

吉良は額と右肩に傷を負ったものの、居合わせた留守居番梶川頼照《かじかわよりてる》が浅野を、

「殿中でござる」

と抱き止め、大事には至らなかった。駆け寄った者に吉良は、

「御医師相頼みたし」

と叫んだ。

朝廷の勅使を迎えるにあたり、浅野内匠頭は勅使接待の御馳走役《ごちそう》を務めていた。その指導役たる高家吉良との間になんらかの行き違いが生じたと思われた。

この一報を聞いた綱吉の処断は素早く、浅野長矩の身柄を愛宕下《あたごした》大名小路の陸奥《むつ》一関藩藩主田村右京大夫建顕《うきょうのだいぶたけあき》に預け、その夕刻には切腹の沙汰《さた》が出た。

総兵衛は駒吉一人を従えて、浅野内匠頭が身を預けられた愛宕下の一関藩江戸藩邸を訪ねた。

夕暮れ前の刻限だ。

表門が閉じられた藩邸前には押し黙った見物人が大勢いて緊張が漂い、通用口から城中よりの使者と思える武家方が出入りしていた。

総兵衛は古着問屋の主《あるじ》のなり、小僧の駒吉は背に筒物を包んだ大風呂敷《おおぶろしき》を肩から斜めに負っていた。一見すれば得意先に商人の主従が訪ねる途中とも帰りとも受け取れた。

田村屋敷に赤穂藩の家臣と思える二人が必死の形相で駆け込んだ。

しばらくして屋敷を森閑とした緊迫が包んだ。愛宕下大名小路界隈《かいわい》の大名屋敷、常陸《ひたち》下妻藩、陸奥三春藩、長門《ながと》清末藩の各藩邸も固唾《かたず》を呑《の》んでなにかを待っていた。

「なんだ、この静けさは」

と見物の職人風の男が呟《つぶや》いた。

重苦しい切迫した刻限が流れた。

ふうっ
と田村屋敷の緊張が解けた。その空気が各大名屋敷に伝播《でんぱ》した。

見物の一人の年寄りが思わず呟いた。

「浅野様が腹を召されたのじゃ」

だれもなにも答えない。

浅野の辞世は、

「風さそう花よりもなお我はまた　春のなごりをいかにとやせん」

であった。さらに浅野家は領地没収の、吉良家にはお構いなしの沙汰が出た。

総兵衛が愛宕下大名小路から田村屋敷の南の塀に沿って西へと延びる薬師小路へと歩き出し、駒吉が無言で従った。この薬師小路は愛宕権現《ごんげん》の前を南北に抜ける愛宕下通にぶつかる。この小路の左右には疏水《そすい》が流れ、春の宵闇《よいやみ》にせせらぎの音を立てていた。

総兵衛には水音が浅野長矩の無念の慟哭《どうこく》のように思えた。

（綱吉様はなぜかくも浅野長矩様の処罰を急いだか）

光圀《みつくに》が生きてあれば、両者の紛争をとくと調べて真相を解明せよと忠言したはずだ。だが、もはや光圀はこの世の人ではなかった。

総兵衛は、せせらぎの音に誘われるように愛宕権現へと向かい、駒吉は黙々と従ってきた。

「駒吉、愛宕権現に浅野長矩様のご冥福《めいふく》をお祈りしていこうか」

「浅野様は亡《な》くなられたのですか」

「念を押すまでもあるまい」

二人は八十六段の急な石段の前に立った。愛宕権現名物の急な石段であった。

「男坂を登られますか」

駒吉の声に反応したように石段の左右の林の中で羽ばたきがした。権現社の山に飼われている神鶏がなにか異変を嗅《か》ぎつけたか。

石段下と上に常夜灯があって、石段に淡い灯りを投げていた。だが、石段の途中辺りは灯りも届かずに暗かった。

駒吉が背に負うた風呂敷の結び目を解《ほど》き、中のものを取り出すと総兵衛に無言で差し出した。

「うむ」

総兵衛が受け取ったのは三池典太光世《みいけでんたみつよ》だ。

袴《はかま》は穿《は》かず羽織を着た帯に葵典太《あおいでんた》を差すと、駒吉が風呂敷を懐《ふところ》に仕舞い、代わりに鉤《かぎ》の手が付いた綾縄を取り出した。

愛宕神社は火伏《ひぶせ》の神を祀《まつ》った権現社だ。

総兵衛は急な石段の真ん中をゆっくりと登っていき、駒吉が後方から、右の端を上がっていった。

再び木の枝に止まる神鶏が羽ばたきを始めた。

しゅるしゅる

と羽ばたきに紛れて闇の中に音が重なった。

総兵衛が足を止め、駒吉が綾縄の鉤の手を回すと投げた。

飛来してきた饅頭笠《まんじゅうがさ》が駒吉の鉤の手に絡《から》まれて左の林へと落ちた。

「どうやら馴染《なじ》みの者の仕業と見た」

石段上に一本歯の足駄を履いた長身が立った。

波呂路《なみろ》隆角《じりゅうかく》だ。

「こたびの浅野長矩様の切腹始末の陰に生臭坊主《ぼうず》の隆光と道三河岸《どうさんがし》の主《あるじ》が控えておったか」

総兵衛は得心した呟きを洩《も》らした。

「鳶沢総兵衛、五月蠅《さばえ》の如《ごと》く目障《めざわ》りが過ぎる」

隆角が杖《じょう》から仕込み刀を抜くと一本歯の足駄で石段を、
とんとんとーん
と駆け下り、総兵衛の十四、五段上から虚空《こくう》高くに飛んだ。

総兵衛は動かない。

駒吉は石段の端にしゃがみ、辺りを見回した。

波呂路隆角が一人でないことは分かっていた。だが、愛宕権現の男坂での戦いに参入してくる気配はなかった。
けえっ
と波呂路隆角が奇声を発すると神鶏の群れが呼応して鳴いた。
総兵衛が動いたのはその瞬間だ。
するり
と石段を一、二段上がって隆角の体の下に入り込み、葵典太を抜き放つと、
そより
と刃が虚空に優美な円弧を描いた。
隆角の一本歯が総兵衛の髷《まげ》を掠《かす》めて流れ、次の瞬間、葵典太が隆角の左腰を深々と割った。
ぎえぇっ
という絶叫を発した隆角は、石段の上に踏ん張ろうとしたが、踏ん張り切れずに前のめりに崩れ落ち、
ごろごろごろ

と男坂の石段を転落していき、下の石畳みに叩《たた》き付けられると身動き一つしなくなった。

様子を見ていた総兵衛は葵典太に血ぶりをくれると、石段を再び上がり始めた。

境内や石段左右の林から隆角の手下の気配が消えた。

総兵衛は石段を昇りながら、浅野内匠頭の無念を想《おも》うていた。

だが、総兵衛の想像力をもってしても、柳沢保明から松平吉保と改名を許された人物と鳶沢一族が、この後、百年を超える戦いを続けることになるとは予想もできなかった。

松籟《しょうらい》が愛宕山に鳴った。

生前のことだ。光圀は、

「予が存命中に隆光の始末をつける」

と総兵衛に言明した。またこうも告げた。

「予が討ちもらして身罷《みまか》った折、総兵衛、そなたに跡始末を頼む」

どうしたものか、総兵衛は考えあぐねていた。相手は明らかに隆光権僧正ではないような気がした。

鳶沢一族の真の相手は別の人物だ。

耳奥に光圀の謡《うたい》が響いた。

「それ春の花の樹頭《じゆとう》に栄へ、秋の月の水底に沈むも、世の儚《はかな》さの有様を、見てもあはれや重衡の、その古《いにしへ》は雲の上、かけても知らぬ身の行方《ゆくへ》、波に漂ひ舟に浮き、さらば寄辺《よるべ》の外《よそ》ならで、ありしに帰る有様かな」

あとがき

私は時代小説作家として史実の人を主人公に描いた作品は一つもない。物語の流れを造るために田沼意次《おきつぐ》、柳沢保明《やすあきら》などの生き方は借りた。だが、正面から描いたわけではなく虚構の人物の陰として表現してきた。

今回の『光圀《みつくに》』は江戸時代の超有名人であり、侵しがたい博識と業績と政治力などで光圀像はすでに盛名と生き方は定着していると思った。

今から十数年以上前、古希に近い光圀が水戸藩の大老を刺殺する史実に接したとき、これは何事か、と思った。

だが、シリーズ執筆に追われ、光圀のこの行為を私なりに考え、解釈する暇がなかった。

そんな折、新潮社から新潮文庫百年特別書き下ろしの注文が来た。

その瞬間、これが光圀を描く最後のチャンスかと考え、しばらく頭の中で遊ばせていた。

だが、私は時代小説文庫書き下ろしでなんとか世に認められた小説家だ、光圀を表に振りかざして「大説」を書ける力量も技もない。

ところが、そのうちにふと、ふだん書いてきた文庫書き下ろしの古着屋総兵《そうべ》衛《え》シリーズのプロローグとして、光圀と六代目総兵衛の若き日を絡《から》ませられないかと思いついた。そこで十五歳の総兵衛勝頼《かつより》と六十一歳の光圀の出会いの場景から物語を始めた。

虚構の人物と史実の人が絡み合い、なにを生み出したか。それは読者諸氏の感想を待つしかない。

未《いま》だ世の怖さも知らない十五歳の若者と天下の副将軍、黄門様と畏敬され、愛されてきた人物が出会うとき、どのような化学反応が生じるものか。

また、一つの悲劇が二人の出会いでどのように解釈され、膨らんだか。虚構の総兵衛が実在の光圀を躍らせた小説になったかどうか、読者諸氏がそのように読んでいただければ作者としては幸甚《こうじん》だ。

説明の要もないが古着屋総兵衛には、二つのシリーズがある。

六代目総兵衛勝頼を主人公にした旧作（完結）十一巻と、今一つ、そのおよそ百年後の十代目総兵衛勝臣《かつおみ》を物語の中心に据えた新作（現在九巻、継続中）の二つである。

新旧ともに武と商の二つの貌《かお》を持つ鳶沢《とびさわ》一族の活躍と生き方を江戸時代に場を借りて描いてきたものだ。この初傳《しょでん》『光圀』が大空に橋を架け渡すように二つの新旧総兵衛シリーズを強固に結びつけ、さらにスケールを増してくれたらと、作者は密《ひそ》やかに願っている。

折しも新シリーズ十巻目を執筆中だ。同時に『光圀』の校正をしているのだが、なんとも奇妙で得難い体験であった。なにしろ十代目を描きながら高祖父の若き日を描くなんて経験はそう得られるものではなかろう。なんだかタイムマシーンにでも乗って時を遡《さかのぼ》るような気持ちであった。

平成二十七年正月吉日　　佐伯泰英

参考資料

鈴木暎一『人物叢書 徳川光圀』（吉川弘文館）
鈴木暎一『日本史リブレット人 徳川光圀』（山川出版社）
野口武彦『朝日評伝選 徳川光圀』（朝日新聞社）
山室恭子『黄門さまと犬公方』（文藝春秋）

解説

木村行伸

本書『古着屋総兵衛《そうべえ》　初傳《しょでん》　光圀《みつくに》』は、新潮文庫百年を記念した特別書き下ろし作品であり、尚《なお》かつ佐伯泰英の〈古着屋総兵衛〉シリーズの〝原点〟をテーマにしたエポック・メーキングな物語でもある。作中には、記念作にふさわしい大黒屋総兵衛にまつわる重要な秘密も明らかにされている。その本編の内容に触れるまえに、まずは〈古着屋総兵衛〉シリーズとは如何《いか》なる物語なのか、この壮大なドラマの全体像を簡単にふり返ってみたい。

慶長八年（一六〇三）に、江戸に新たな都市を設けた徳川家康は、治安維持のため浪人・鳶沢成元《とびさわなるもと》とその一族に犯罪者の一掃を命じた。この大役を見事に果した成元は、次に日本橋鳶沢町（のちの富沢町《とみざわちょう》）に古着屋「大黒屋」を開き、商いの流通網を利用して各地の情報収集をするように命じられる。歳月は流れ、元和二年（一六一六）の四月、家康は亡《な》くなる直前に鳶沢成元こと初代大黒屋総兵衛を駿府城《すんぷじょう》に呼び寄せ、自らの霊廟《れいびょう》がある久能山《くのうざん》の裏に鳶沢一族の隠れ里をつくり、兵力を養って徳川家存亡のときには一族一丸となって対処するよう遺命した。この家康の遺志が、鳶沢一族を「隠れ旗本」として武と商に生きることを宿命付けたのである。なお、古着商「大黒屋」の主《あるじ》は、代々「総兵衛」の名を継ぐため、それぞれの在位期間に合わせて初代、六代目などと呼ばれている。

用意周到な家康は、幕閣にも「影」と呼ばれる「隠れ旗本」の協力役を配した。その初代には本多弥八郎正純《やはちろうまさずみ》を指名し、歴代の総兵衛と「影」が会合を持つときは、「やはち」（「弥八郎」の意）の崩し文字を記した封書が、大黒屋地下の大広間に届けられた。また、「影」と鳶沢一族の間に不和が生じる事態も想定して、「第二の影」も密《ひそ》かに備えたのだった。

こうした基本設定のもと、五代将軍・徳川綱吉《つなよし》の時代、元禄十四年（一七〇一）から宝永六年（一七〇九）までを舞台に、私利私欲のため平時に乱を求める様々な組織や権力者たちと、六代目総兵衛勝頼《かつより》率いる鳶沢一族との死闘を描いたのが「古着屋総兵衛影始末（のちに加筆され決定版と銘打たれる）」なのである。彼らの活躍は、日本や琉球《りゅうきゅう》、果ては交趾《こうち》（現在のベトナム）まで繰り広げられていった。

この「決定版・古着屋総兵衛影始末（全11巻）」を、〈古着屋総兵衛〉シリーズの第一部と捉《とら》えるならば、第二部にあたるのが「新・古着屋総兵衛（現在九巻迄《まで》刊行中）」一である。「大黒屋」の財力・情報力を狙《ねら》う、幕閣の黒幕との壮絶な闘いに終止符が打たれてから九十余年。享和《きょうわ》二年（一八〇二）に新シリーズは幕を開ける。大黒屋では九代目総兵衛勝典《かつのり》が瀕死《ひんし》の床にあり、しかも彼には後継者たる嫡子《ちゃくし》がいなかった。この前代未聞の存続の危機に、突如、新たな後継者候補が姿を現す。なんとその者は、異国、交趾からの訪問者であった。六代目勝頼の志を胸に、十代目を継承した勝臣《かつおみ》は、故国日本の風土や習慣を学びながら、鳶沢一族とともに一族因縁の刺客や、薩摩《さつま》藩の武装組織に敢然と立ち向かっていく。旧作からの伏線を活《い》かして開始した新シリーズでは、勝臣の人間的魅力に惹《ひ》かれた交趾の日本人集団・今坂一族や、琉球の海の民池《いけ》城《ぐすく》一族、さらに誇りを失っていた忍びの柘植《つげ》一族など、様々な集団が双鳶《ふたつとび》の旗下に加わり「水滸伝《すいこでん》」の如《ごと》き大軍団を形成している。混成された彼らが、今後どのような未来を歩むのか、その点も新シリーズの見所の一つといえるだろう。

そして本書『光圀』だが、まずタイトルにある「初傳」の二文字は、この作品の時代設定が〈古着屋総兵衛〉シリーズの最初期にあたるところから付けられたのだという。冒頭、元禄十三年（一七〇〇）十二月九日に、江戸の六代目総兵衛勝頼のもとに水戸光圀の死を伝える使者が訪れる。実は、勝頼と二代目水戸藩主・徳川光圀との交流は、貞享《じょうきょう》五年（一六八八）に水戸の那珂湊《なかみなと》で、藩所有の快風丸が蝦夷地《えぞち》探検に向かうのを五代目総兵衛幸綱《ゆきつな》と勝頼親子が見物に訪れたときからはじまっていたのだ。光圀と勝頼、年齢の離れた二人は、出会った当初から見果てぬ異国への熱い想《おも》いを共有し、立場を超えて友誼《ゆうぎ》の念を抱くのだった。

水戸光圀は、初代水戸藩主・徳川頼房《よりふさ》を父に、側室の久子を母に水戸家の三男として生を受けた。が、その生まれは複雑で、当初、父頼房は、家の事情で久子に子を堕《お》ろすように命じたという。だが、母久子はこれに反し水戸家中の三木家で密かに出産した。その後、様々な経緯を経て二代目藩主となった光圀は、将軍綱吉が施行した悪法「生類憐《しょうるいあわれ》みの令」を公然と批判し、また綱吉が実子徳松君を次代将軍にしようとするのを、逝去《せいきょ》した綱吉の兄綱重の長男綱豊を後任にすべきだと諫言《かんげん》もしている。自身の複雑な生い立ちが、光圀なりの信念「人倫の大義」を醸成させ、こうした清冽《せいれつ》な行動を執らせたのであろう。その光圀が、何故《なにゆえ》、元禄七年（一六九四）に水戸藩大老・藤井紋太夫《もんだゆう》を刺殺するに到ったのか。その動機に、作者は〈古着屋総兵衛〉の世界で虚実を交え言及しているのだ。

史料、文献等は事件の要因について、光圀の隠居後、藤井紋太夫が傲慢《ごうまん》な政策を執ったことや、光圀が隠居するにあたり次期藩主に息子頼常ではなく兄頼重の子綱條《つなえだ》を任じたことで、水戸藩内に光圀派、綱條派の派閥が生まれ、光圀と対立した紋太夫がこの争いに幕府を巻き込んだことなどを指摘している。作者はここに、将軍綱吉の母桂昌院《けいしょういん》と、彼女を煽動《せんどう》する真言宗の僧侶《そうりょ》隆光、さらに権力への飽くなき野望を抱く柳沢保明《やすあきら》（のちの吉保）を登場させて、徳川の危機に動く鳶沢一族も加えた政治闘争劇を創造したのだ。この対決は、『光圀』に続く「影始末」シリーズへの前哨戦《ぜんしょうせん》的な意味合いも持っている。

そして、本書で明かされる総兵衛の秘密の件だが、これは未読の方の興を削《そ》ぐ恐れがあるため一部を隠して記すこととする。光圀逝去の後、勝頼は、水戸家による本朝史記（光圀の死後、「大日本史」と命名された）編纂《へんさん》のために設けられた彰考館の総裁・安積《あさか》澹泊《たんぱく》の口から、過去に勝頼の生母お萌《もえ》が、光圀に大変な恩義を受けたと聞かされる。鳶沢一族の事情から、お萌が危機的状況に陥った際に、一族の裏事情を察していた光圀が手を差し伸べたというのだ。つまり、今日勝頼があるのは、光圀の存在なくしては叶《かな》わなかったというのである。そして、この過去の秘密が、先々の「新・古着屋総兵衛」シリーズの根幹とも強く結びついているのだ。作者の巧みな構成は、〈古着屋総兵衛〉シリーズが、人と人との縁を重要なテーマに掲げていることを改めて認識させるのである。

この人間性、若《も》しくは社会性への追求に関しては、もう一つ印象的な場面が本編にはある。それをより明確に理解するためにも、ここで一冊の書物を紹介しておきたい。それは佐伯泰英の随筆『惜櫟荘《せきれきそう》だより』だ。惜櫟荘とは、昭和十六年（一九四一）に岩波書店の創業者・岩波茂雄が建築家・吉田五十八《いそや》に依頼して建てた別荘で、日本建築史に残る和風建築の傑作である。この別荘は戦中から戦後、尾崎行雄や幸田露伴、志賀直哉《なおや》など多くの政治家や文化人に親しまれてきたという。作者は、老朽化した別荘を、私費を投じて修復し、その工事の過程を二〇一〇年から二〇一二年の雑誌「図書」に克明に記録していた。本書はそれをまとめたものである。この随筆を手にすると、『光圀』をはじめ〈古着屋総兵衛〉シリーズの大型船の造船描写や、『新・古着屋総兵衛第九巻　たそがれ歌麿《うたまろ》』でのリアリズム溢《あふ》れる橋の修復場面は、惜櫟荘で職人たちの作業風景を実際に見聞きしたことに拠《よ》るものと察せられる。

また作者は、スペインで暮らしていた当時にも触れており、現地での詩人・田村隆一や作家・堀田善衛《よしえ》らとの交流も自然な筆致で綴《つづ》っている。さらに、「文庫書き下ろし小説」が、つい最近まで一部の出版人たちから「際物《きわもの》出版」として見下されてきたこと、自身が書き下ろし時代小説を執筆するにあたって、バブル以降の九〇年代の世の中の空気を強く意識したことなども披瀝《ひれき》している。そして、なにより作品解釈のうえで注目したいのが、作者が芸術に対する透徹した視座の持ち主であるという部分なのだ。アルハンブラ宮殿の建物と、太陽が醸《かも》し出す「光と影」の美しい演出に魅了される感性や、「サクロモンテの丘に点在する白い家々の灯《あか》りの煌《きら》めき」に価値を見い出す人間的本質。洋画家・鴨居《かもい》玲《れい》の、酒場のカウンターに佇《たたず》む老残の闘牛士の絵の背中に、「闘牛の影の部分」「人間の哀《かな》しみ」を見る作家的観照眼。作者は、芸術や自然の美に宿る「光と影」に、人類の営みと悲哀を読み取ることができる創作者なのである。

そして本書『光圀』で、人生と芸術とのつながりを最も鮮明に描いているのが、能「千手《せんじゅ》」の場面であろう。「千手」とは、作中の言葉を借りて説明すると、「一の谷の合戦に生け捕られた平重衡《たいらのしげひら》は鎌倉に送られ、狩野介宗茂《かののすけむねもち》に預けられ死を待つ身であった。手越《てごし》の長の娘の千手は頼朝《よりとも》の遺いとして、重衡に出家の願いは叶わぬことを伝える。意気消沈する重衡を慰め、／「十悪といふとも引摂《いんじょう》す（極悪人であれ仏は極楽へ迎え入れる）」／と朗詠して舞う。そんな千手の気遣いに重衡の心も落ち着き、琵琶《びわ》を弾き、千手は琴を合わせる。／平重衡は夜明けとともに刑場へと送られていく。」という内容である。

この「千手」を、総兵衛と光圀とが二人で舞う場面に目を向けると、「心を平らに鎮めた勝頼は、光圀の佩刀《はいとう》を抜くと、右手に扇を拡《ひろ》げた如くに差し出して、光圀のゆるゆるとした動きに合わせて、祖伝夢想流の境地に没入していった。／光圀の舞の手と勝頼の剣が近づき、離れて二つの体が一つの意志を共有しているように動いた。それは流れる水の如くにして、また微風に葉叢《はむら》を戦《そよ》がせる木立の動きにも似ていた。／琵琶を弾く重衡と琴を奏する千手そのままに光圀と勝頼の二つの気息が通い合い、幽玄の場と無限の時の流れを現出した。」という風に描いている。この舞の僅《わず》かな時間のなかで、演者が表現する万象を列記してみると、勝者と敗者、男と女、罪と赦《ゆる》し、生と死、夜と朝、などが挙げられよう。そしてこれを総兵衛と光圀の立場に置き換えてみれば、若者と老人、剣と扇、裏と表、虚と実、正義と悪、過去と未来、等々が自然と思い浮かべられる。互いに秘密を抱えた二人が、言葉では届けられぬ思いと、未来を見据えて、ひとときの演舞で心を通わす。時空を越えて、無常なる歴史と人生の軌跡が、記憶と想いで交錯しているのである。畢竟《ひっきょう》、人は人と出会い、愛《いとお》しみ憎しみ、支え合い、心（思想や哲学とも換言できよう）を伝えながら未来を育《はぐく》んで行く。この宿命からは逃れることは出来ない。その真実を、幻想的な「幽玄の美」の一瞬に、総兵衛と光圀の姿を通して描き上げているのである。作者は、芸術（芸能・文化）と人生とが深く結びつくことで生まれる可能性を、娯楽小説ならではの「面白さと感動」で堂々と顕現しているのだ。これは、「文庫書き下ろし時代小説」に魂を捧《ささ》げた職人作家、佐伯泰英だからこそ成し得た、意地とプライドの文学的境地と言えるのではないだろうか。

　歴史・時代小説は、基本的には史実を逸脱し改変をしてはならないという暗黙のルールがある。とくに江戸を舞台とした作品は、時代的郷愁や和の文化、人情を忘れてはならないだろう。だが、一方でこの世には「破格」という言葉がある。格を極め尽くしたうえで、その格を破り新たな価値や状況を生み出すという意味の言葉だ。『光圀』は先に述べたように、従来の時代小説のルールを踏まえたうえで、さらに時代小説が進化し続けていることを証明してみせた。また作者は、時代や社会の空気を読み取ることに長《た》けた作家である。『たそがれ歌麿』では、天災の被害にあった江戸を再建する庶民の姿に、現代の人々の逞《たくま》しく健全な風貌《ふうぼう》が重ねられよう。また、奇《く》しくも「風刺画」が孕《はら》む危険性までをも予見してみせた。その見識高い作者の紡《つむ》ぐ物語に、破格の面白さと、良識ある歴史考証が共存していることは、もはや誰の目にも明らかなことだろう。

　災害や不幸にも負けず、景気の変動にも怯《ひる》まず必死に働いている現代の「八つぁん、熊《くま》さん」や、家事や育児に勤《いそ》しむおかみさん、学業に励む若者たち、町のご隠居さん、すべての読者にとって鳶沢一族の活躍は、元気や勇気の源となっている。その一族の翼が、江戸の空や大海原を高らかに飛翔《ひしょう》すること。それこそが、多くの愛読者の共通の願いなのではないだろうか。本書をきっかけに〈古着屋総兵衛〉シリーズがさらにスケールアップし、一人でも多くの読者の心に希望の灯がともされんことを心から願っている。

（平成二十七年二月、文芸評論家）

佐伯泰英
文庫時代小説
全作品チェックリスト

どこまで読んだか、チェック用にどうぞご活用ください。

キリトリ線

掲載順はシリーズ名の五十音順です。
品切れの際はご容赦ください。

2015年3月末現在
監修／佐伯泰英事務所

佐伯泰英事務所公式ウェブサイト「佐伯文庫」 http://www.saeki-bunko.jp/

居眠り磐音　江戸双紙

いねむりいわね　えどぞうし

□ ① 陽炎ノ辻　かげろうのつじ
□ ② 寒雷ノ坂　かんらいのさか
□ ③ 花芒ノ海　はなすすきのうみ
□ ④ 雪華ノ里　せっかのさと
□ ⑤ 龍天ノ門　りゅうてんのもん
□ ⑥ 雨降ノ山　あふりのやま
□ ⑦ 狐火ノ杜　きつねびのもり
□ ⑧ 朔風ノ岸　さくふうのきし
□ ⑨ 遠霞ノ峠　えんかのとうげ
□ ⑩ 朝虹ノ島　あさにじのしま
□ ⑪ 無月ノ橋　むげつのはし
□ ⑫ 探梅ノ家　たんばいのいえ
□ ⑬ 残花ノ庭　ざんかのにわ
□ ⑭ 夏燕ノ道　なつつばめのみち
□ ⑮ 驟雨ノ町　しゅううのまち
□ ⑯ 螢火ノ宿　ほたるびのしゅく
□ ⑰ 紅椿ノ谷　べにつばきのたに
□ ⑱ 捨雛ノ川　すてびなのかわ
□ ⑲ 梅雨ノ蝶　ばいうのちょう
□ ⑳ 野分ノ灘　のわきのなだ
□ ㉑ 鯖雲ノ城　さばぐものしろ
□ ㉒ 荒海ノ津　あらうみのつ
□ ㉓ 万両ノ雪　まんりょうのゆき
□ ㉔ 朧夜ノ桜　ろうやのさくら
□ ㉕ 白桐ノ夢　しろぎりのゆめ
□ ㉖ 紅花ノ邨　べにばなのむら
□ ㉗ 石榴ノ蠅　ざくろのはえ
□ ㉘ 照葉ノ露　てりはのつゆ
□ ㉙ 冬桜ノ雀　ふゆざくらのすずめ
□ ㉚ 侘助ノ白　わびすけのしろ

双葉文庫

キリトリ線

キリトリ線

□㉛更衣ノ鷹《きさらぎのたか》上
□㉜更衣ノ鷹《きさらぎのたか》下
□㉝孤愁ノ春《こしゅうのはる》
□㉞尾張ノ夏《おわりのなつ》
□㉟姥捨ノ郷《うばすてのさと》
□㊱紀伊ノ変《きいのへん》
□㊲一矢ノ秋《いっしのとき》
□㊳東雲ノ空《しののめのそら》
□㊴秋思ノ人《しゅうしのひと》
□㊵春霞ノ乱《はるがすみのらん》
□㊶散華ノ刻《さんげのとき》
□㊷木槿ノ賦《むくげのふ》
□㊸徒然ノ冬《つれづれのふゆ》
□㊹湯島ノ罠《ゆしまのわな》
□㊺空蟬ノ念《うつせみのねん》
□㊻弓張ノ月《ゆみはりのつき》
□㊼失意ノ方《しついのかた》
□㊽白鶴ノ紅《はっかくのくれない》

□シリーズガイドブック「居眠り磐音 江戸双紙」読本
（特別書き下ろし小説・シリーズ番外編「跡継ぎ」収録）

□居眠り磐音 江戸双紙 帰着準備号 橋の上《はしのうえ》
（特別収録「著者メッセージ&インタビュー」「磐音が歩いた『江戸』案内」「年表」）

□吉田版「居眠り磐音」江戸地図 磐音が歩いた江戸の町
（文庫サイズ箱入り）超特大地図＝縦75㎝×横80㎝

鎌倉河岸捕物控《かまくらがしとりものひかえ》

ハルキ文庫

- □ ① 橘花の仇《きっかのあだ》
- □ ② 政次、奔る《せいじ、はしる》
- □ ③ 御金座破り《ごきんざやぶり》
- □ ④ 暴れ彦四郎《あばれひこしろう》
- □ ⑤ 古町殺し《こまちごろし》
- □ ⑥ 引札屋おもん《ひきふだやおもん》
- □ ⑦ 下駄貫の死《げたかんのし》
- □ ⑧ 銀のなえし《ぎんのなえし》
- □ ⑨ 道場破り《どうじょうやぶり》
- □ ⑩ 埋みの棘《うずみのとげ》
- □ ⑪ 代がわり《だいがわり》
- □ ⑫ 冬の蜉蝣《ふゆのかげろう》
- □ ⑬ 独り祝言《ひとりしゅうげん》
- □ ⑭ 隠居宗五郎《いんきょそうごろう》
- □ ⑮ 夢の夢《ゆめのゆめ》
- □ ⑯ 八丁堀の火事《はっちょうぼりのかじ》
- □ ⑰ 紫房の十手《むらさきぶさのじって》
- □ ⑱ 熱海湯けむり《あたみゆけむり》
- □ ⑲ 針いっぽん《はりいっぽん》
- □ ⑳ 宝引きさわぎ《ほうびきさわぎ》
- □ ㉑ 春の珍事《はるのちんじ》
- □ ㉒ よっ、十一代目！《よっ、じゅういちだいめ》
- □ ㉓ うぶすな参り《うぶすなまいり》
- □ ㉔ 後見の月《うしろみのつき》
- □ ㉕ 新友禅の謎《しんゆうぜんのなぞ》

- □ シリーズガイドブック「鎌倉河岸捕物控」読本（特別書き下ろし小説・シリーズ番外編「寛政元年の水遊び」収録）
- □ シリーズ副読本　鎌倉河岸捕物控　街歩き読本

キリトリ線

キリトリ線

シリーズ外作品　ハルキ文庫

□ 異風者《いひゅもん》

交代寄合伊那衆異聞《こうたいよりあいいなしゅういぶん》　講談社文庫

□ ① 変化《へんげ》
□ ② 雷鳴《らいめい》
□ ③ 風雲《ふううん》
□ ④ 邪宗《じゃしゅう》
□ ⑤ 阿片《あへん》
□ ⑥ 攘夷《じょうい》
□ ⑦ 上海《しゃんはい》
□ ⑧ 黙契《もっけい》
□ ⑨ 御暇《おいとま》
□ ⑩ 難航《なんこう》
□ ⑪ 海戦《かいせん》
□ ⑫ 謁見《えっけん》
□ ⑬ 交易《こうえき》
□ ⑭ 朝廷《ちょうてい》
□ ⑮ 混沌《こんとん》
□ ⑯ 断絶《だんぜつ》
□ ⑰ 散斬《ざんぎり》
□ ⑱ 再会《さいかい》
□ ⑲ 茶葉《ちゃば》
□ ⑳ 開港《かいこう》
□ ㉑ 暗殺《あんさつ》
□ ㉒ 血脈《けつみゃく》

長崎絵師通吏辰次郎《ながさきえしとおりしんじろう》　ハルキ文庫

□ ① 悲愁の剣《ひしゅうのけん》
□ ② 白虎の剣《びゃっこのけん》

夏目影二郎始末旅《なつめえいじろうしまつたび》

光文社文庫

□ ① 八州狩り《はっしゅうがり》
□ ② 代官狩り《だいかんがり》
□ ③ 破牢狩り《はろうがり》
□ ④ 妖怪狩り《ようかいがり》
□ ⑤ 百鬼狩り《ひゃっきがり》
□ ⑥ 下忍狩り《げにんがり》
□ ⑦ 五家狩り《ごけがり》
□ ⑧ 鉄砲狩り《てっぽうがり》
□ ⑨ 奸臣狩り《かんしんがり》
□ ⑩ 役者狩り《やくしゃがり》
□ ⑪ 秋帆狩り《しゅうはんがり》
□ ⑫ 鵺女狩り《ぬえめがり》
□ ⑬ 忠治狩り《ちゅうじがり》
□ ⑭ 奨金狩り《しょうきんがり》
□ ⑮ 神君狩り《しんくんがり》

【シリーズ完結】

□ シリーズガイドブック 夏目影二郎「狩り」読本（特別書き下ろし小説・シリーズ番外編「位の桃井に鬼が棲む」収録）

秘剣《ひけん》

祥伝社文庫

□ ① 秘剣雪割り 悪松・棄郷編《ひけんゆきわり わるまつ・ききょうへん》
□ ② 秘剣瀑流返し 悪松・対決「鎌鼬」《ひけんばくりゅうがえし わるまつ・たいけつかまいたち》
□ ③ 秘剣乱舞 悪松・百人斬り《ひけんらんぶ わるまつ・ひゃくにんぎり》
□ ④ 秘剣孤座《ひけんこざ》
□ ⑤ 秘剣流亡《ひけんりゅうぼう》

キリトリ線

キリトリ線

古着屋総兵衛 初傳《ふるぎやそうべえしょでん》

新潮文庫

□ 光圀（新潮文庫百年特別書き下ろし作品）

古着屋総兵衛影始末《ふるぎやそうべえかげしまつ》

新潮文庫

□ ① 死闘《しとう》
□ ② 異心《いしん》
□ ③ 抹殺《まっさつ》
□ ④ 停止《ちょうじ》
□ ⑤ 熱風《ねっぷう》
□ ⑥ 朱印《しゅいん》
□ ⑦ 雄飛《ゆうひ》
□ ⑧ 知略《ちりゃく》
□ ⑨ 難破《なんぱ》
□ ⑩ 交趾《こうち》
□ ⑪ 帰還《きかん》

【シリーズ完結】

新・古着屋総兵衛《しん・ふるぎやそうべえ》

新潮文庫

□ ① 血に非ず《ちにあらず》
□ ② 百年の呪い《ひゃくねんののろい》
□ ③ 日光代参《にっこうだいさん》
□ ④ 南へ舵を《みなみへかじを》
□ ⑤ ○に十の字《まるにじゅのじ》
□ ⑥ 転び者《ころびもん》
□ ⑦ 二都騒乱《にとそうらん》
□ ⑧ 安南から刺客《アンナンからしかく》
□ ⑨ たそがれ歌麿《たそがれうたまろ》

密命《みつめい》／完本 密命《かんぽん みつめい》

※新装改訂版の「完本」を随時刊行中

祥伝社文庫

□①完本 密命 見参《けんざん》！ 寒月霞斬り《かんげつかすみぎり》

□②完本 密命 弦月三十二人斬り《げんげつさんじゅうにんぎり》

【旧装版】

□③密命 残月無想斬り《ざんげつむそうぎり》

□④刺客《しかく》 斬月剣《ざんげつけん》

□⑤火頭《かとう》 紅蓮剣《ぐれんけん》

□⑥兇刃《きょうじん》 一期一殺《いちごいっさつ》

□⑦初陣《ういじん》 霜夜炎返し《そうやほむらがえし》

□⑧悲恋《ひれん》 尾張柳生剣《おわりやぎゅうけん》

□⑨極意《ごくい》 御庭番斬殺《おにわばんざんさつ》

□⑩遺恨《いこん》 影ノ剣《かげのけん》

□⑪残夢《ざんむ》 熊野秘法剣《くまのひほうけん》

□⑫乱雲《らんうん》 傀儡剣合わせ鏡《くぐつけんあわせかがみ》

□⑬追善《ついぜん》 死の舞《しのまい》

□シリーズガイドブック「密命」読本（特別書き下ろし小説・シリーズ番外編「虚けの龍」収録）

□⑭遠謀《えんぼう》 血の絆《ちのきずな》

□⑮無刀《むとう》 父子鷹《おやこだか》

□⑯烏鷺《うろ》 飛鳥山黒白《あすかやまこくびゃく》

□⑰初心《しょしん》 闇参籠《やみさんろう》

□⑱遺髪《いはつ》 加賀の変《かがのへん》

□⑲意地《いじ》 具足武者の怪《ぐそくむしゃのかい》

□⑳宣告《せんこく》 雪中行《せっちゅうこう》

□㉑相剋《そうこく》 陸奥巴波《みちのくともえなみ》

□㉒再生《さいせい》 恐山地吹雪《おそれざんじふぶき》

□㉓仇敵《きゅうてき》 決戦前夜《けっせんぜんや》

□㉔切羽《せっぱ》 潰し合い中山道《つぶしあいなかせんどう》

□㉕覇者《はしゃ》 上覧剣術大試合《じょうらんけんじゅつおおじあい》

□㉖晩節《ばんせつ》 終の一刀《ついのいっとう》

【シリーズ完結】

キリトリ線

酔いどれ小籐次留書《よいどれことうじとめがき》

幻冬舎時代小説文庫

□ ① 御鑓拝借《おやりはいしゃく》
□ ② 意地に候《いじにそうろう》
□ ③ 寄残花恋《のこりはなよするこい》
□ ④ 一首千両《ひとくびせんりょう》
□ ⑤ 孫六兼元《まごろくかねもと》
□ ⑥ 騒乱前夜《そうらんぜんや》
□ ⑦ 子育て侍《こそだてざむらい》
□ ⑧ 竜笛嫋々《りゅうてきじょうじょう》
□ ⑨ 春雷道中《しゅんらいどうちゅう》
□ ⑩ 薫風鯉幟《くんぷうこいのぼり》
□ ⑪ 偽小籐次《にせことうじ》
□ ⑫ 杜若艶姿《とじゃくあですがた》
□ ⑬ 野分一過《のわきいっか》
□ ⑭ 冬日淡々《ふゆびたんたん》
□ ⑮ 新春歌会《しんしゅんうたかい》
□ ⑯ 旧主再会《きゅうしゅさいかい》
□ ⑰ 祝言日和《しゅうげんびより》
□ ⑱ 政宗遺訓《まさむねいくん》
□ ⑲ 状箱騒動《じょうばこそうどう》

□ 酔いどれ小籐次留書 青雲篇 品川の騒ぎ《しながわのさわぎ》 （特別付録・「酔いどれ小籐次留書」ガイドブック収録）

新・酔いどれ小籐次《しん・よいどれことうじ》

文春文庫

□ ① 神隠し《かみかくし》
□ ② 願かけ《がんかけ》

吉原裏同心《よしわらうらどうしん》

光文社文庫

□ ① 流離《りゅうり》
□ ② 足抜《あしぬき》
□ ③ 見番《けんばん》
□ ④ 清掻《すががき》
□ ⑤ 初花《はつはな》
□ ⑥ 遣手《やりて》
□ ⑦ 枕絵《まくらえ》
□ ⑧ 炎上《えんじょう》
□ ⑨ 仮宅《かりたく》
□ ⑩ 沽券《こけん》
□ ⑪ 異館《いかん》
□ ⑫ 再建《さいけん》
□ ⑬ 布石《ふせき》
□ ⑭ 決着《けっちゃく》
□ ⑮ 愛憎《あいぞう》
□ ⑯ 仇討《あだうち》
□ ⑰ 夜桜《よざくら》
□ ⑱ 無宿《むしゅく》
□ ⑲ 未決《みけつ》
□ ⑳ 髪結《かみゆい》
□ ㉑ 遺文《いぶん》

□ シリーズ副読本　佐伯泰英「吉原裏同心」読本

本書は新潮文庫百年特別企画として書き下ろされた。

佐伯泰英著
雄飛
古着屋総兵衛影始末 第七巻

大目付の息女の金沢への輿入れの道中、若年寄の差し向けた刺客軍団が一行を襲う。鳶沢一族は奮戦の末、次々傷つき倒れていく……。

佐伯泰英著
知略
古着屋総兵衛影始末 第八巻

甲賀衆を召し抱えた柳沢吉保の陰謀を阻止せんがため総兵衛は京に上る。一方、江戸ではるりが消えた。策略と謀略が交差する第八巻。

佐伯泰英著
難破
古着屋総兵衛影始末 第九巻

柳沢の手の者は南蛮の巨大海賊船を使嗾し、ついに琉球沖で、大黒丸との激しい砲撃戦が始まる。シリーズ最高潮、感慨悲慟の第九巻。

佐伯泰英著
交趾（こうち）
古着屋総兵衛影始末 第十巻

大黒屋への柳沢吉保の執拗な攻撃で美雪はある決断を下す。一方、再生した大黒丸は交趾を目指す。驚愕の新展開、不撓不屈の第十巻。

佐伯泰英著
帰還
古着屋総兵衛影始末 第十一巻

薩摩との死闘を経て、勇躍江戸帰還を果たした総兵衛は、いよいよ宿敵柳沢吉保との決戦に向かう——。感涙滂沱、破邪顕正の完結編。

佐伯泰英著
血に非ず
新・古着屋総兵衛 第一巻

享和二年、九代目総兵衛は死の床にあった。後継問題に難渋する大黒屋を一人の若者が訪ね来た。満を持して放つ新シリーズ第一巻。

光《みつ》圀《くに》

古着屋総兵衛 初傳

新潮文庫　さ - 73 - 0

平成二十七年四月一日発行

著者　佐《さ》伯《えき》泰《やす》英《ひで》

発行者　佐藤隆信

発行所　株式会社新潮社

郵便番号　一六二―八七一一
東京都新宿区矢来町七一
電話　編集部(〇三)三二六六―五四四〇
　　　読者係(〇三)三二六六―五一一一
http://www.shinchosha.co.jp

価格はカバーに表示してあります。

乱丁・落丁本は、ご面倒ですが小社読者係宛ご送付ください。送料小社負担にてお取替えいたします。

印刷・株式会社光邦　製本・憲専堂製本株式会社

ISBN978-4-10-138034-6 C0193